Nora Jacquez

La Gran GUERRA
de los
TAMALES
y otros cuentos

The Great
TAMALE WAR
and other tales

Publisher
Rio Vista Publications
Box 5
Jaroso, Colorado 81138
© 2004 Nora Jacquez all rights reserved
March 2004

Derechos de autor en trámite
Library of Congress Catologing-in-Publication Data is on file with the publisher.
Published simultaneously in the United States and México
Publicado simultáneamente en Los Estados Unidos y en México
Printed in México
Impreso en México

Se terminó de imprimir la primera edición en el mes de Marzo del 2004 en los talleres
de Carteles
Editores P.G.O., y se encuadernó en Impresiones y Barniz U.V. Amadís, S.A. de C.V.,
oficinas ubicadas en Colón 605-2, Centro, Oaxaca.

ISBN: 968-7984-60-0

Second Edition March 2005
Segunda Edición Marzo 2005

Dedicatoria/ Dedication

A todas las personas que cruzan con temor la Frontera Sur Estadounidense hacia una tierra que antes era de ellos.

For all the people who fearfully cross the Southern U.S. Border to a land that was formerly theirs.

A Rosa de Chiapas que me dijo:

No entiendo,
>Todos somos gente.
>Todos somos humanos.
>Todos somos familia.

To Rosa of Chiapas who told me:

I don t understand,
>We are all people.
>We are all humans.
>We are all family.

A mis hijos

To my children

Para Erica y Tristan

For Erica and Tristan

INDICE
INDEX

PRÓLOGO

¿Puedo ser objetiva, cuando mi amiga entrañable me pide prologar su libro de cuentos, que trata además, del lugar que amo y también de sus costumbres?

Y por si fuera poco: ¿Se puede ser objetiva, cuando el fin que se propone al publicarlo para su venta, viene a ser un regalo altruista destinado a mi gente?

Los ingresos que se obtengan quedarán a beneficio de esos nuestros hermanos desprotegidos, a los que atiende La Estancia Fraternidad, en Oaxaca, México y también a favor del Centro Humanitario para Trabajadores en Denver, Colorado, obras sociales a las que ella misma les introducirá.

La respuesta a mis preguntas es afirmativa. Claro que se puede ser objetiva, cuando la obra en cuestión la escribe Nora Jacquez, cuya personalidad arrolladora invade cada uno de sus cuentos, con vigor suficiente para insuflarles vida propia. Cómo no ser así, si esta compilación de cuentos es el fruto de un arduo esfuerzo. Para culminarlos, deja de hacer lo que le gusta (filosofía de lo que debe ser en este momento de su vida) para hacer una vez más lo que se "debe", entregada por entero a la árida tarea de formatear y revisar una y otra vez los cuentos.

PROLOGUE

Can I be objective when my close friend asks me to write the prologue for her book of short stories, which is about -in an important way- the place I love, and also, about its customs?

As if that weren't enough: Can one be objective, when the end proposed, upon publishing it for sale, is an altruistic gift destined for my people?

Its proceeds will benefit those brothers and sisters, the unprotected, who are served by the Estancia Fraternidad, and the Centro Humano Para Los Trabajadores in Denver, Colorado, social projects, which she, herself, will introduce to you.

The answer to my questions is affirmative. Of course, one can be objective, when the work in question is written by Nora Jacquez, whose powerful persona invades each of her stories, with sufficient vigor so as to have them breathe with their own life. Why wouldn't it be that way, because the compilation of these stories is the fruit of her arduous efforts. To finish them, she stopped doing what she liked, her philosophy of how life should be now for her, to do once more what should be done, devote herself entirely to the dry task of formatting and revising time and again her stories.

Mentiría si les dijera que es posible olvidarse de ella mientras se lee —tengo la fortuna de conocerla— pero no se preocupen, también ustedes la conocerán cuando recorran el libro, de la mano de sus deliciosos personajes. Estoy hablando del degustarlos a la manera de un gourmet, para que vivan, revivan y convivan instantes mágicos de la cotidianidad y la pertenencia al seno de la sociedad méxico-estadounidense. Sorprendidos, la reconocerán más mexicana que nosotros mismos. También redescubrirán nuestras costumbres, provistas de los inesperados reflejos que les confiere esta moderna mujer estadounidense, más que orgullosa de sus raíces hispanas.

Es imposible separar a la obra de su autora —y que bueno que así sea— porque son precisamente su vida y sus andanzas, las que han dado lugar al surgimiento de ese "tercer ojo" (pasó un tiempo en Nepal) con el que visualizó su entorno, durante los años que tiene de haberse apropiado de Oaxaca. Volvió después a la introspección, para amalgamar los dos mundos, el de su infancia y el que ya tiene adquirido por derecho propio.

Así nacieron historias como "La vaca brincó sobre la luna" que te estruja el corazón y te da deseos de alargar tus manos dentro del papel, para sostener el cuerpo de Valentín que se resbala desde el sillón en el que posa su cuerpo vencido. Te hacen preguntarte, sobre la futilidad de adquirir y resguardar pertenencias, cuando conoces a Doña Marta y a sus cosas, en "Jesús ya no vive aquí".

It would not be true if I told you it was possible to forget her while one reads. I have the good fortune of knowing her. But, not to worry, you too will know her when her delightful characters take you by the hand. I am speaking of savoring them like a gourmet, living, reliving and co-living magical every day moments belonging to the bosom of the Hispanic/ Mexican world in the United States. Surprised, you will find it more Mexican than ourselves, and you will also discover customs full of unexpected reflections bestowed by a modern woman from the United States, more than proud of her Hispanic roots.

It is impossible to separate the work from its author, which is good, because it is precisely her life and her travels that have given rise to this "third eye" (she spent some time in Nepal) with which she has visualized her surroundings, during the years she has appropriated Oaxaca as hers. Afterwards, she turned to introspection, to amalgamate the two worlds, of her childhood, and the one she acquired by her own right.

That is how stories like "The Cow Jumped Over the Moon" were born, which press into your heart and you want to extend your hands, inside the paper, to support the body of Valentin, which slides down the chair, where his vanquished body rests. Or you are made to question the futility of acquiring and protecting belongings, when you meet Dona Marta and her things in "Jesus Doesn't Live There Anymore."

También te regocijas al leer "María Félix murió el lunes", cuando Nora, aparentando elevar a la Félix a las alturas en las que ella se ubicaba, se sale con la suya y así nomás, al pasar, eleva varios palmos arriba, a la abuela —la de todos— esa mujer de trenzas y rebozo, que tiene impreso sobre la piel morena, el perfil propio de una sacerdotisa.

Todos hemos tenido una prima o una tía con tendencias autócratas y un padre responsable por ellas. Por eso nos tocamos para percibir el vello naciente en nuestros brazos, mientras viajamos a "Fly Swarm" con la pequeña andariega, a la que nos gustaría adjudicarle nuestro nombre, porque en el cuento no lo posee.

Otro cuento, "La paz esté con usted" a mí me hizo rebelarme, porque situó en Oaxaca hechos que ocurrieron en Inglaterra, o qué se yo, en qué otro lugar, y me hizo abrazar en desagravio, desde mi asiento de lector —también lo tuve— a Carlos el Cubano. También sentí en el papá de Gloria, a mi propio padre, envejecido, cuando profundicé en "Mi casa".

Teniendo el libro su cuna en dos países, no podía menos que ser bilingüe. Con este libro, Nora desea contribuir a la enseñanza del inglés y español para hermanarlos. La viajera por antonomasia, además lleva a pasear tus sentimientos, y te acompaña a través de sus cuentos, unos profundos, y otros jocosos. Te dicen —a su manera— que la vida es dada para vivirse, de la mejor manera, con optimismo, aun con todos sus avatares.

You also delight in reading "Maria Felix Died On Monday" when Nora appears to elevate Maria Felix to the heights where she placed herself, but the author achieves her goal, just like that, in passing, by elevating the grandmother, several levels above. That grandmother, is everyone's, the woman with braids and a shawl who has imprinted on her dark skin, the profile of a priestess.

We've all had a cousin or an aunt with autocratic tendencies, and her father who was responsible. That is why we touch the hair on our arms as we make our way to "Fly Swarm" with the little traveler, whom we'd like to give our own name to, because in the story, she has none.

Another story "Peace Be With You" made me rebel because it placed events in Oaxaca which really happened in England, or what do I know, in some other place. I had to embrace Carlos, the Cuban, with amends from my reader's chair. When I went more into "Mi Casa" I felt, in Gloria's father, my own aged father.

The book, cradled in two different countries, had to be bilingual. With this book, Nora wants to contribute to the teaching of both English and Spanish, in order to bond these languages. By the reading in two languages, this traveler, par excellence, proposes also to take your feelings on a journey as she accompanies you through these stories, some profound, others comical to tell you, in her way, that life is given to be lived with optimism, even with all its ups and downs.

Abre para todos un mundo de posibilidades.

Con ésto les doy la bienvenida a "La gran guerra de los tamales y otros cuentos", donde encontrarán mucho más de lo que yo les he dicho. Basta darse cuenta que no he tocado la historia que le da título al libro, para que ustedes lo descubran por si mismos y lo disfruten.

Leticia Ricárdez de Cid de León

En Oaxaca de Juárez, México
Marzo del 2004

She opens for all of us a world of possibilities.

With this I welcome "The Great Tamale War and Other Tales" where you will find much more than I have told you. It is enough to say that I haven't touched on the story which gives the book its title, so that you may discover and enjoy it for yourselves.

Leticia Ricardez Cid de Leon

In Oaxaca de Juárez, México
March, 2004

INTRODUCCIÓN

Vivo una cultura que está separada por un gran río y por legiones de agentes de la inmigración, cuyo número crece de manera exponencial. La vivo por derecho de nacimiento, por elección y por ser mujer con la libertad de hablar de asuntos del corazón. Este libro nunca se planeó como un ejercicio intelectual. Lo vi más como una colección de cuentos de dos lugares, de suroeste Hispano de Los Estados Unidos donde crecí y de Oaxaca, México que he visitado por elección desde hace treinta años y vivido una parte de los últimos años. Estos lugares comparten valores de familia, el humor, la fe, el aceptar lo absurdo, la capacidad de sobrevivir, la ilógica y más; que bien se adapta a la ficción. Para mí el intentar meditaciones académicas sería exorcizar de la gente de estos lugares su espontaneidad, su ingenio, su sabiduría.

Otra razón de ser para este libro, es que creo que aprender otro idioma debe de ser divertido. Debe animar al estudiante a continuar para disfrutar la mágica emoción de abrir la puerta a otro mundo, el del arte, la historia, la literatura, otra manera de ser. Estos cuentos son para estudiantes de ambos idiomas, español e inglés. Si logro que los estudiantes se rían, lloren o reflexionen y estén cada vez más conscientes del mundo detrás de la puerta, estoy feliz.

Estoy feliz también si el libro se vende, porque todos los ingresos están destinados a dos lugares; el primero de ellos es El Centro Humanitario para los

INTRODUCTION

I live a culture that is separated by a large river and legions of immigration agents, whose numbers increase exponentially. I experience it as a birth right, as a choice of place and as a woman with freedom to speak of matters of the heart. This book was never planned as an intellectual exercise. It was envisioned more as a grouping of stories from two places: the Hispanic Southwest, where I grew up and Oaxaca. Mexico, which I have been visiting for thirty years and where I have lived a part of the last years. These places share family values, humor, faith, an acceptance of the absurd, a capacity for survival, an often illogical view of the world and more that is best described in fiction. For me to try to do academic musings on these commonalities is to exorcise the spontaneity, wit and wisdom of the people from these places.

Another reason for the book is that I believe language learning should be fun. It should always encourage the student to continue because the thrill of opening the door to a new world of art, history, literature and way of being is magical. These stories are meant for students of both English and Spanish. If they make students laugh, ponder, protest, cry and ever more aware of the world behind the door, I am happy.

I am happy too if this book sells because the proceeds go to two important places: one is the Centro Humanitario Para Los

Trabajadores en Denver, Colorado, que es un centro creado principalmente para proteger a los trabajadores indocumentados de la explotación de patrones sin escrúpulos. Cada día, desde las seis de la mañana hay una larga cola de trabajadores y nunca hay bastantes patrones. Los ingresos del libro también van a La Estancia Fraternidad, un albergue para los pobres que tienen familiares en el Hospital Civil de Oaxaca. La Estancia da alimentación y alojamiento a los más pobres de los pobres y a personas que necesitan tratamiento a largo plazo. Cuando pueden pagar, les cuesta menos de un dólar por día. A La Estancia le cuesta casi cinco veces esa cantidad, proveer el servicio.

Quiero dar gracias a los amigos que ayudaron a hacer este libro una realidad. Primero, le doy gracias desde mi corazón a Lety Ricárdez de Cid de León cuya inteligencia, bondad, humor y paciencia me hicieron perseverar. Gracias a mi buena amiga, Susan Bogue, cuya cuidadosa lectura del manuscrito fue invaluable. Gracias a los otros lectores del manuscrito, Lynn O Hare, Vanessa Velásquez, Wes Tietzen, Luchita Esteva. Gracias al grupo de escritores de Oaxaca que escucharon los cuentos. Gracias tambien a los cuentistas como Carolina Canseco, Donna Maes, Lupita Salinas y Carlos el Cubano que aportaron forraje. Ahora, no me pidan que separe la verdad de la ficción. Se han mezclado. ¡Solo a gozar!

Nora Jacquez
Oaxaca, México Marzo, 2004
norajacquez@hotmail.com
www.geocities.com/estanciaoaxaca
mji@centrohumanitario.net

Trabajadores, a day labor center primarily for undocumented workers in Denver, Colorado. The purpose of the Center is to prevent the exploitation of the undocumented by unscrupulous employers. Each day, at six in the morning, there is a long line of workers and never enough employers. The proceeds of the book also go to La Estancia Fraternidad, which is a shelter in Oaxaca, Mexico. The Estancia feeds and houses the poorest of the poor, whose family members are in the General Hospital, or those people without resources who require long term treatment. When they can pay, it costs them less than a dollar a day for three meals and lodging. It costs the Estancia almost five times as much to provide the service.

I am grateful to friends who helped make the book a reality: First of all, a thank you from the heart to Lety Ricardez Cid de Leon, whose intelligence, kindness, humor and patience made me persevere; secondly, a thank you to my friend Susan Bogue whose careful readings of the manuscript were invaluable. Thank you to other readers of the manuscript; Lynn O'Hare, Vanessa Velasquez, Wes Tietzen, and Luchita Esteva. Thank you to the Oaxaca Writers Group who listened to the stories. Thank you to story tellers like Carolina Canseco, Donna Maes, Lupita Salinas, Carlos the Cuban who provided fodder. Please don't ask me to separate the truth from the fiction. They have blended; just enjoy!

Nora Jacquez
Oaxaca, México March, 2004
norajacquez@hotmail.com
www.geocities.com/estanciaoaxaca
mji@centrohumanitario.net

EL AGUJERO EN LA PARED

Nunca lo quise. Tampoco lo quiero ahora, aunque esté viejo, encogido y frágil. Agarra a su bastón como si fuera su tercera pierna, empujándolo siempre como una antena, enfrente de él, para evitar peligros. Es verdad que es mi tío, mi propia sangre, pero las malas memorias están grabadas en mi cerebro.

Me recuerdo un julio, sin brisa, la sangre gruesa y pesada en el cerebro. Me muevo como una babosa, primero, a la sombra, y después me acerco a la casa de mi Abuelita, donde las paredes de adobe siempre están frescas. Aprieto el cuerpo contra la pared de la cocina y observo a mi Abuelita. Ya había aprobado su inspección esa mañana temprano: pantalones cortos y playera limpia, peinado de raya (aunque estuviera chueca), mis tenis puestos sin que arrastraran las agujetas. Ella está muy ocupada para atender en ese momento, a su nieto de diez años que la visita. Yo tengo demasiado calor para seguir persiguiendo lagartijas afuera. Nomás me quedo parado ahí y la cuido. Va de la estufa al fregadero, luego al trastero y da la vuelta otra vez. Es como un baile, con manos blancas de harina para tortillas, y cucharas de pozole para probarlo. Yo sé que viene gente y la Abuelita necesita tener la mesa llena de comida. Casi no sale de su casa en estos días, por si acaso llega uno de sus hijos (todos tienen ya más de cuarenta años). No vaya a ser que lleguen y ella no tenga algo preparado para comer.

Antes, yo pensaba que ella dormía con su delantal. Ahora, cuando lo pienso: ojalá la hubieran enterrado con él. Recuerdo que no se veía bien, acostada y vestida de gasa color de rosa, con diamantes de imitación. Sus manos estaban quietas. El baile había terminado.

HOLE IN THE WALL

I never did like him. I don't like him now, even though he's old, shrunken and frail. He clutches his walker, his third leg, pushing it in front of him like an antenna for pitfalls. It's true he's my uncle, my own blood, but the bad memories are etched in my head.

I remember one July, no breeze, the blood thick and heavy in the brain. I move like a slug, first into the shade, then into Grandma's house where the adobe walls are always cool. I press my body against a kitchen wall near the door and watch my grandma. I had already passed her inspection in the early morning. Clean shorts and t-shirt, my hair combed, (even if the part was crooked), my sneakers on and no shoelaces dragging. She's too busy to notice her ten year old visiting grandson. I'm too hot to keep chasing lizards outside. I just lean there and watch. She goes from the stove to the sink to the cupboard and back again. It's like a dance with flour hands for tortillas and pozole spoons for testing. I know company is coming and grandma needs to have the table laden with food. She hardly leaves her house these days. One of the children (all over forty) might come to visit and she wouldn't have something ready to eat.

I used to think she slept with her apron. Now as I look back, I wish they had buried her in it. I remember she looked all wrong lying there in the pink chiffon with rhinestones. Her hands were still and the dance was ended.

En verdad, esa no era mi Abuelita. Tenía yo trece años cuando murió, y nadie, nadie jamás la reemplazó.

Cuando ella sabía que él vendría a visitarla, su baile comenzaba en la mañanita y sus manos de harina volaban por la cocina. Era el hijo mayor, la luz de su vida, la visión de su futuro. Él no podía hacer nada mal. Venía en un coche nuevo, relumbrante y ella corría a saludarlo. Él tenía casi dos veces su estatura; mi Abuelita se paraba en puntas de pie, para regarlo con besos y abrazos. —¿Cómo estás, mi hijito?—

Para mí, el nombre de hijito no le quedaba nada bien. Él estaba muy grande. Yo pensaba que hijito se debería reservar sólo para mí. Yo era el chiquito.

Él nomás se paraba ahí mirándola, quizá guardando algo en el subconsciente para cuando no la iba a tener. Nunca decía mucho. Sus ojos oscuros sólo observaban todo con una media sonrisa helada, sabiendo que él era el rey de la colina. Con su maleta todavía en la mano, Abuelita le enseñaba la alcoba bajo los aleros de la casa. A ella nunca se le olvidaba decirle que se cuidara la cabeza en las escaleras, en la parte donde el techo estaba bajito. Él desempacaba mientras ella ponía la mesa abajo. Comíamos todos juntos. Mi tarea era mantenerme en silencio. Se suponía que sólo debía hablar cuando me hablaran. Mi Abuelita me preguntaba si quería otra ración. Por lo menos, aunque estuviera él, se acordaba que yo, generalmente, necesitaba otra vuelta de comida. Él sólo me decía una cosa que yo pueda recordar. Siempre era lo mismo; podía contar con ello. Me miraba como si no le hiciera mucha gracia y luego decía, —Tú, ¿está tu papá en casa?— Nunca esperaba la respuesta. Como si no le importara. Se volteaba hacia mi Abuela y seguían hablando.

It sure wasn't grandma. I was thirteen when she died and no one, nobody ever replaced her.

When she knew he was coming to visit, her dance started in the early morning and her flour hands flew around that kitchen. He was the oldest son, the light of her life, the vision for her future. He could do no wrong. He would drive up in a shiny new car, and she ran to greet him. He was almost twice her height and she stood on tiptoe to shower him with kisses and hugs. ¿Como estás hijito?

"Hijito", little son, never fit him in my book. He was too big. Hijito should be reserved for me, I thought. I was little.

He just stood there; his big frame perhaps unconsciously storing something away for when he didn't have her. He never said much. His dark eyes would just take it all in with a frozen half smile, knowing he was king of the hill. With his suitcase in hand, grandma would show him to the big bedroom under the eaves. She never forgot to tell him to watch his head coming down the stairs where the ceiling was low. He unpacked while she set the table downstairs. We all ate together. My assignment was silence. I was only to speak when spoken to. Grandma asked if I wanted seconds. At least she remembered that I usually needed a second go around. He only said one thing to me that I ever remember. It was always the same. I could count on it. He looked at me as if I didn't make much of an impression and then he would say: "You. Is your dad home?" He never waited for an answer. It was as if he didn't really care. He would just turn back to Grandma and they kept on talking.

Después de comer, él subía a tomar una siesta, mientras mi Abuela y yo hacíamos la limpieza. Ella la hacía casi sola. Cuando se sintió segura de que podía confiar en mi sensibilidad para hacerla, me asignaba un pequeño papel, como limpiar despojos de los platos, ponerlos en una charola y después, llevarlos a sus dos cerdos detrás de la casa.

Pasada una hora más o menos, lo oíamos moverse arriba. Luego comenzaba el chirrido y el ruido. Yo miraba a mi Abuela. Al principio, ella escuchaba con ansiedad; después cruzaba por su cara una pequeña sonrisa irónica, meneaba la cabeza y decía en voz muy baja —Pobrecito, mi hijito, él sí que cree que lo va a encontrar. Él cree que su abuelo lo enterró en la casa. Pero no hay tesoro enterrado en esta casa—.

Luego, subía las escaleras para observarlo, mientras él hacía agujeros al azar en la pared, con su taladro eléctrico. Yo quería salvar a mi Abuela y a su casa, pero ella parecía no preocuparse por la salvación.

Después de varias visitas, las paredes de arriba estaban llenas de agujeros. Era como si Calamity Jane, Butch Cassidy y Billy the Kid hubieran pasado al galope, tirando balazos mientras salían de Dodge. Con el tiempo, continuó en la planta baja. Al pasar de los años, comenzó a desesperarse, y los agujeros se hicieron más grandes. Me acuerdo de una temporada en que no trabajó por dos semanas y se vino a quedar con mi Abuela. Para entonces, ya estaba usando palancas y marros. De vez en cuando, mi Abuela le decía algo como esto: —Mi hijito, ¿por qué no tratas, si puedes hacerlo, de arreglar ese agujero grande allá cerca de la televisión? Se puede poner feo con el invierno, cuando entre el frío—. Yo apretaba los dientes y lo ojeaba. Él le mascullaba algo a mi Abuelita y luego, como

After eating, he would go upstairs and nap while grandma and I did the cleanup. Mostly she cleaned. When she was certain she could trust my sense of cleanliness, she would assign me a small part, like scraping a plate's leftovers into the container, which I later took to her two pigs out back.

After about an hour, we'd hear him moving around upstairs. Then the whirring noise would start. I would look at Grandma. At first, she listened intently; then she had a wry little smile. She'd shake her head and say quietly, "Pobrecito, mi hijito - my poor little son - he really believes he's going to find it. He really thinks his grandfather buried it in the house. There's no buried treasure in this house."

Then she went to the top of the stairs to watch as he made random holes in the walls with his electric drill. I followed her, feeling completely helpless. I wanted to save my grandma and her house but she didn't seem concerned about salvation.

After several visits, the upstairs walls were riddled with holes everywhere. It was as if Calamity Jane, Butch Cassidy and Billy the Kid had all stormed through on their way out of Dodge. Later, he started on the downstairs. As the years went by and he got more desperate, the holes got bigger. I remember when he wasn't working for two weeks and he came to stay at Grandma's. By that time he was into sledge hammers and crowbars. Occasionally, Grandma would say something like, "Mi hijito, why don't you try and fix that big hole over there by the TV if you can. It might be bad in the winter when the cold comes in." I would grit my teeth and stare at him. He mumbled something to grandma and then, as if

si sintiera mi insolencia, se volteaba hacia mí con el inevitable: —Tú, ¿está tu papá en casa?— Ya para cuando murió mi Abuelita, su casa estaba destrozada.

Cuando lo miré acercarse a mi Abuelita en la funeraria, ella vestida de gasa color de rosa, me alegré de que él no trajera su palanca. Pudiera haber levantado el cuerpo de mi Abuela y encontrado el reloj de oro que le puse, para que se lo llevara a donde iba. Yo lo encontré, cuando gateaba en el agujero grande que había hecho él en la pared cerca de la televisión. Estaba en una vieja lata de café, arriba de pedazos de turquesa. Le di el reloj a mi Abuelita, y yo me quedé con las turquesas. Creí que quizás podía cambiarlas por tapetes a los indios, algún día. Es lo que hacía mi bisabuelo. Mi Abuelita me lo dijo.

he sensed my defiant stare, he would turn to me with the inevitable: "You, is your dad home?" By the time grandma died, her house was a wreck.

When I saw him approach grandma in her pink chiffon at the funeral home, I was glad he didn't have his crowbar. He might have lifted grandma's body and found the gold watch I put under her to take with her where she was going. I found it when I crawled into the big hole in the wall he had made next to the TV. It was in an old coffee can on the top of a pile of turquoise chips. I gave grandma the watch and I kept the turquoise chips. I thought, maybe, I could trade them to Indians for blankets someday. That's what my great grandfather used to do. Grandma told me so.

PATO MUERTO

Cada centímetro del cuerpo de Sandy estaba cubierto: bien fueran botones de rosas, anclas, guirnaldas de laureles, corazones con flechas penetrantes, gatos y cañas de maíz. Linda casi no creía lo que veía en las fotos que sostenía con las manos temblorosas. Se le llenaron los ojos de lágrimas inesperadas. —¿Cómo?— se preguntó, sin poder creerlo. —¿Cómo era posible que su hija le hiciera todo eso a su cuerpo?— El tatuaje del águila en vuelo que le cubría toda la espalda, le parecía lo más escandaloso. Linda se paró con las fotos en su mano helada. Sandy, en bikini, la miraba sonriente desde la foto, con las manos en jarras, las piernas separadas, mirando por encima de su hombro, como si mirara el vuelo del águila hacia el infinito.

La vida de Sandy en San Antonio parecía muy remota, vista desde el nuevo hogar de Linda en México. Había escogido Oaxaca para vivir, por su gente amable, las calles coloniales y pintorescas, y los conciertos de los domingos en el Zócalo sombreado. En unos días vendría Sandy a visitarla y de alguna manera, Linda pensó que debería preparar para su presencia, a sus vecinos callados, pero amables. A Linda la habían aceptado no como una de ellos, pero sí como una de los "otros" que vivían entre ellos. Linda pensó que quizás algunos de los vecinos, incluyendo la familia Ronceda, necesitaban ser preparados para una visitante de los Estados Unidos, completamente tatuada. Linda no estaba cierta acerca de como hacerlo; así que no hizo nada, antes de llegar Sandy.

Los Ronceda, que vivían enfrente, no eran una familia en el sentido tradicional. Eran dos hermanas y un hermano, que vivían juntos porque nunca se casaron.

DEAD DUCK

Every inch of Sandy's body was covered with something: rosebuds, anchors, laurel wreaths, hearts with piercing arrows, cats and corn stalks. Linda could hardly believe the photographs as she held the letter with her hands trembling. Her eyes filled with unexpected tears. "Why?" Linda asked herself, shaking her head in disbelief. Why would her own daughter do all of that to her body? The tattoo of the eagle in flight across Sandy's back seemed the most outrageous. Linda stood with the photographs frozen in her hand. Sandy, in a bikini, stood smiling, with her hands on her hips, legs apart, looking over her shoulder, as if she watched the eagle's flight into infinity.

Sandy's life in San Antonio seemed quite removed from Linda's new place in Mexico. She had chosen Oaxaca because of the friendly people, the quaint colonial streets and the shady main square with the band concerts on Sundays. Sandy was coming to visit in a few days and somehow Linda thought she should have prepared her quiet smiling neighbors. They had accepted her not as one of them but as one of the "others" who lived among them. Linda realized that perhaps some of the neighbors, including the Ronceda family, should have been gently eased into the idea of a fully tattooed visitor from the States. She wasn't quite sure how to do this and therefore, did nothing before Sandy's arrival.

The Roncedas, who lived across the street, were not exactly a family in the traditional sense. They were two sisters and a brother who had never married.

27

Tenían ya sus setenta y tantos años, y los tres continuaban en la casa de su niñez. Alda y Consuelo pasaban mucho de su tiempo asegurándose de que su hermano, Ariel, el menor, estuviera bien alimentado y protegido con ropa adecuada para todas las ocasiones climáticas. La temperatura de Oaxaca oscilaba alrededor de los 34 grados. Pero si llegaba a bajar, vamos a decir, a los 26 grados, se podía ver al pobre de Ariel andar por la calle, llevando una gorra de pelo, con un pico y dos solapas para cubrirse las orejas. Sólo se veía su nariz, porque la boca y las mejillas estaban envueltas con una bufanda de lana, que fue de su padre, y apareció en un cajón hacía ya treinta años. Después de la muerte de sus padres, que ocurrió con una diferencia de seis meses entre uno y el otro, la vida había continuado en la casa como un tartamudear del tiempo. Avanzaba erráticamente, pero la mayor parte de las veces parecía quedarse estático, como si no supiera hacia donde ir. Parecía que las manecillas del reloj de la cocina no iban a ninguna parte. Todo lo que se hacía era rutina y nada cambiaba.

Una de las tareas más importantes de Ariel, era la subida diaria al techo de la casa de estuco de dos plantas. En el techo había un tinaco para el agua, la antena de televisión, varias rejillas de ventilación y un cuartito, bastante raro, con una pequeña ventana y una puerta. El cuarto era como un apéndice que no se había planeado y creció en medio del techo. Todos los días, Ariel abría la puerta de ese cuartito con cuidado, llevando una pequeña olla con comida en una mano y una de agua en la otra.

—Kiko, Kiko, ¿dónde estas?—

Llamaba con voz suave y luego, se detenía para esperar. Pronto, desde un rincón llegaba Kiko, caminando lento y con dolor. Que todavía pudiera andar, era casi

In their seventies, the three lived together in their childhood home. Alda and Consuelo spent a lot of time making certain that their brother, Ariel, the youngest, was well fed and protected with sufficient clothing for any, and all climatic occasions. Oaxaca's temperature hovered at a mean of 72 degrees. If, however, the temperature took a dive, to say, 60 degrees, poor Ariel was seen on the street wearing a fur-lined hat with a beak and matching drop down ear flaps. Only his nose was visible because his mouth and cheeks were swathed in a wool scarf, that was left in a drawer by his father some thirty years ago. After the death of both their parents, within six months of each other, life had continued in the household in a kind of stuttering of time. It went forward erratically and mostly seemed to stand still, as if it didn't know where to go, as if the hands on the kitchen clock never went anywhere. Everything was regular and unchanging.

One of Ariel's most important duties was the daily climb to the flat roof of the two-story stucco house. The roof had the usual roof accoutrements: a water barrel, the TV antenna, various vent pipes, then one odd little room with a tiny window and a door. The room was like an unplanned appendage that had sprouted in the roof's center. Every day Ariel carefully opened the door of the room carrying a small feed bucket in one hand and a pan of water in the other.

"Kiko, Kiko, where are you?"

He would call gently, and stand and wait. Soon from one corner, Kiko would emerge waddling slowly and painfully. That he could still walk was nothing short of

milagroso, para un pato de cuarenta años, con artritis. Kiko había llegado a la familia, gracias a unos primos del pueblo de Yalalag. Lo entrenaron para andar con correa y él se pavoneaba por todo el pueblo como un emperador. Las dos hermanas y Ariel lo habían mimado, sin cesar, desde que llegó. Así que Kiko se convirtió en un insoportable.

—¿Cómo se llama?— preguntó un niño, jalándole la mano a su papá.

—No sé, vamos a preguntar—.

Ariel tenía un discurso preparado y lo soltaba a la menor provocación. —Se llama Kiko. Viene de Yalalag y es muy anciano. Lo tenemos desde que era patito. Tiene artritis—.

El niño estiró la mano para acariciarlo, pero se le heló el brazo, cuando vio los ojos de Kiko que claramente le decían, —Tócame si te atreves y a tu propio riesgo. No eres familia—. La familia, para Kiko eran Alda, Ariel y Consuelo. Ariel lo llevaba a pasear; Consuelo le echaba agua en el calor del verano. Si se le olvidaba, él iba y le jalaba la falda, o nomás la seguía hasta que lo miraba. Consuelo hizo de Kiko el probador oficial de su cocina. Él sabía que ella le daría siempre unas hojitas de lechuga, quizás un poco de maíz y pedacitos de tomate. Pero fue Ariel quien lo mandó al exilio del techo de la casa.

—¡Ya no lo aguanto más!— anunció Ariel una tarde cuando estaban cenando. —No estoy durmiendo ni cuatro horas por la noche. Anoche vino ese pato a mi cuarto a las tres de la mañana y me jaló las mantas, queriendo salir a pasearse. No le basta con que tengo que pasearlo todos los días, aunque la gente no deja de mirarme y los niños me preguntan mil veces cómo se llama y dónde vive. He aguantado eso todos estos años. Pero que ahora Kiko

miraculous for a forty-year old arthritic duck. Kiko had come to the family as a duckling from their cousins in the village of Yalalag. They trained him on a leash and Kiko pranced through town like an emperor. The two sisters and Ariel had spoiled him mercilessly. Kiko became impossible.

"What's his name?" a little boy asked tugging at his father's hand.

"I don't know, let's ask."

Ariel had a ready speech. "His name is Kiko. He comes from Yalalag and he's very old. We have had him since he was a duckling and he now has arthritis."

The little boy reached out to pet him but his arm froze as he caught the look in Kiko's eye, which clearly said, "Touch me at your own risk. You are not family." The family for Kiko, were Alda, Ariel and Consuelo. Ariel took him for walks. Consuelo sprinkled water on him in the summer heat. If she were the least bit forgetful, he would go to her and tug on her skirt or her apron or just follow her around until she was forced to look at him. Consuelo made Kiko the official taster of the kitchen delicacies. He stood waiting on the terrace whenever Consuelo was in the kitchen. He knew she was good for a few shreds of lettuce, perhaps some corn and bits of tomatoes. But it was Ariel who had Kiko banished to the rooftop.

"I can't take anymore," he announced one evening at supper. "I am not even sleeping four hours a night. Last night, that duck came to my room at three in the morning, pulling at the blankets, wanting to go for a walk. It's bad enough when I have to walk him during the day, and all the people stare with the children asking a thousand times what his name is and where he lives. I've put up with that all these years. But now, when Kiko

31

quiera salir a pasearse a las dos o tres de la mañana, me rehúso. Sencillamente me rehúso—.

En silencio, Consuelo y Alda miraron fijamente hacia sus platos. Nadie dijo nada hasta que Consuelo levantó la cabeza, y miró directamente a Ariel. —Muy bien, Ariel, puedes poner a Kiko en el techo. Alda y yo tendremos que aprender a vivir nuestras vidas sin él, porque tú, Ariel, eres el único que puede subir todos esos escalones al techo. Así que tú te encargarás de darle de comer todos los días. Necesitarás llevarle un plato de comida y agua—. Consuelo se despejó del nudo que tenía en la garganta y evitó su mirada.

Así de sencillo comenzó el rito. Ahora, hacía cinco años que Ariel, precisamente a las diez, todas las mañanas, subía los treinta y cinco escalones al techo con la ración de comida y agua para Kiko. Al principio, no había manera de apaciguarlo. Kiko encontraba a Ariel en la puerta y se paraba ahí insolentemente; tambien hasta intentó una huelga de hambre. Pero Ariel estaba decidido a no pasear otra vez a este pato imposible, a las dos de la mañana. Ariel le llenaba el plato de comida y le dejaba agua, después cerraba la puerta y daba una vuelta por el techo, desde donde tenía una buena vista de la vecindad, incluyendo todas las casas de enfrente, porque la calle era muy estrecha. A veces saludaba a Linda con timidez, cuando ella abría la ventana, para regar a sus geranios colocados en cajas sobre el antepecho de la ventana. A veces, sus horarios parecían coincidir. Linda asistía a sus geranios y Ariel asistía a Kiko.

Un día que comenzó como cualquier otro, Ariel subió las escaleras agarrándose del barandal y notó que la tarea de subir, se ponía cada vez más difícil. Abrió la puerta y llamó a Kiko, quien ahora caminaba

wants to go for a walk at two and three in the morning, I refuse. I simply refuse."

Consuelo and Alda stared silently at their plates. No one spoke until Consuelo raised her head and looked directly at Ariel. "Very well, Ariel, you may put Kiko on the roof. Alda and I will have to learn to live our lives without Kiko because you, Ariel, are the only one who can climb all those steps to the roof. So, you will be in charge of feeding him every single day. You must carry up a plate of food and some water for him." She cleared the lump in her throat and avoided looking at him.

The ritual began that simply. It was now five years that Ariel had, precisely at ten every morning, climbed the thirty five stairs to the roof with Kiko's rations of food and water. In the beginning, there was no appeasing Kiko. He would meet Ariel at the door and stand there defiantly. He even tried a hunger strike at first. But, Ariel was determined he would never walk this impossible duck at two in the morning again. Ariel filled Kiko's plate and water bowl carefully; then he closed the door and walked around the roof where he had a good view of the neighborhood, including the fronts of all the houses across the narrow little street. Sometimes he would wave shyly if Linda opened a window to water her geranium flower boxes. Their schedules often seemed to coincide. Linda fed her geraniums and Ariel fed Kiko.

One day, which had begun as any other, Ariel climbed the stairs clutching the railing and thinking that the task of the climb was becoming more and more onerous. He opened the door and called Kiko who now waddled

33

sumisamente, hacia su plato de comida. Ariel cerró la puerta y fue a pasarle revista a la vecindad. Se paró en seco, cuando miró enfrente, hacia la casa de Linda. ¿Quien o qué estaba dándoles agua a los geranios? Un brazo largo se estiraba por la ventana con un cubo de agua. Ariel quedó estupefacto porque el brazo estaba pintado con corazones sangrando, rosas, guirnaldas de flores, diseños geométricos, cañas de maíz y gatos. Ariel parpadeó y tragó saliva para asegurarse de que no estaba soñando. ¡Que brazo más raro! Parecía que flotaba en el espacio y así, levantaba el cubo de agua. Ariel observó como la luz del sol perfilaba los gatos y las cañas de maíz. No quería ser descortés mirando con tanta intensidad; se dió vuelta y abrió la puerta del cuarto de Kiko.

—Kiko, no lo vas a creer. Es demasiado. Kiko, ¿que te pasa? ¿Te sientes bien?— Ariel nunca había visto a Kiko tan apagado; nomás sentado en el rincón, mirando al espacio. Ariel cerró la puerta y bajó lento la escalera, pensando que este día no había sido como ningún otro.

Al día siguiente a las diez, Ariel subió al techo como siempre. Abrió la puerta de Kiko y cayó hacia atrás. Kiko estaba en el rincón, acostado de lado, muerto, y muy tieso. Ariel se paró atónito por un momento, luego cerró la puerta suavemente. Como en un trance, caminó hacia la orilla del techo y miró, distraido al otro lado de la estrecha callesita. De repente, su mirada se detuvo estupefacta. El brazo raro estaba en la ventana con el cubo de agua. Llevaba el agua de uno a otro de los geranios muy, muy lento, lo bastante para que Ariel viera claramente que, poquito abajo de los gatos y las cañas de maíz, había un pato. Estaba rodeado por rosas y guirnaldas de laureles.

submissively to his plate of food. Ariel closed the door and went to survey the neighborhood. He was stopped in his tracks when he looked across to Linda's house. Who or what was watering the geraniums? A long arm reached through the window with a watering can. Ariel was shocked because the arm was painted with bleeding hearts, roses, wreaths of flowers, geometric designs, corn stalks and cats. Ariel blinked his eyes and swallowed hard to make sure he wasn't dreaming. What a strange arm! It was as if it had floated in from space and picked up the watering can. Ariel watched as the sunlight outlined the cats and the corn stalks. Not wanting to be impolite by staring, he turned and opened the door to Kiko's room.

"You won't believe it Kiko. It's too much. Kiko, what's the matter? Are you all right?" Ariel had never seen Kiko so unresponsive. He just sat in the corner staring into space. Ariel closed the door quietly and went carefully down the stairs musing that this day had not been like any other.

The next day at ten, Ariel made the climb to the roof as usual. He opened Kiko's door and fell back in surprise. Kiko was in the corner lying on his side, dead and very stiff. Ariel stood there in shock for a minute; then he backed out of the room and closed the door softly. In a daze, he walked to the edge of the roof and looked aimlessly across the tiny narrow street. Suddenly he was riveted. The strange arm was at the window with the watering can. It moved its spray of water across the geraniums very, very slowly, long enough for Ariel to see clearly that, just below the cats and a corn stalk, was a duck. It was surrounded by individual roses and clusters of laurel wreaths.

LAS MUCHACHAS DE LA GARZA

Antes, no sabía que las De La Garza, supieran hacer cosas malas. Estuve de interna con cuatro de las siete hermanas. Su bondad siempre les sirvió muy bien. Todas eran líderes de los grupos de lectura, sacudían los borradores de los pizarrones, corregían las pruebas de deletrear y eran mensajeras de los recados importantes para la directora. En segundo de primaria, María De La Garza dirigía la banda de ritmos. Su capa era blanca; la mía y todas las demás eran rojas. Dirigía nuestros triángulos, palos y panderetas con la seguridad de alguien que sabe que tiene razón, porque está haciendo las cosas como le han dicho que deben ser. Las De La Garza se criaron haciendo siempre, lo que se esperaba de ellas. Su mamá era sumisa y humilde de corazón. Cómo tuvo tantas hijas, era un misterio, porque pensar a doña Edicia De La Garza, en medio de las agonías de la pasión, era como pensar que se pudiera sufrir de insolación en enero. De alguna manera, uno la imaginaba sobre la cama, haciendo lo que le decían y ¡boom! estaba embarazada otra vez.

Los domingos, toda la familia entraba a la iglesia con Don Elías, el papá, quien acomodaba a todas en su lugar. Su cuerpo alto, regio, era el último en la banca. Cuando ponía su sombrero Stetson detrás de él y se arrodillaba, uno sabía que ya todas sus hijas estaban sentadas. Siempre se veían impecables, planchadas y bañadas en sumisión.

Me recuerdo sentada con mi familia, una fila detrás de ellos. Mis hermanos se lanzaban sobre de mí para pellizcarse. Mi hermanita se sentaba bajo la banca para quitarse los zapatos de domingo. Mi mamá ponía los ojos en blanco y apretaba los dientes, mientras mi papá

THE DE LA GARZA GIRLS

Before, I didn´t realize the De la Garza girls knew how to do anything bad. I went to boarding school with four of the seven sisters and their goodness served them well. All of them led reading groups, checked spelling papers, cleaned erasers and couriered important messages to the principal. In second grade, María De la Garza led the rhythm band. Her cape was white. Mine and everyone else's were red. She directed our triangles and sticks and tambourines with the assurance of one who knows she's right because she's doing what she was told. Those De la Garza girls grew up always doing what they were supposed to. Their mother was meek and humble of heart. How she had so many children was a mystery since Doña Edicia De la Garza in the throes of passion was about as unlikely as heat stroke in January. Somehow, one envisioned her lying splayed on the bed, doing what she was told and boom, she was pregnant again.

On Sundays, the whole family would come into church with their father, Don Elías, ushering all of them into place. His tall regal frame was last in the pew. When he placed his Stetson hat behind him and knelt down with his hands folded, you knew they were all accounted for. They were always neat, pressed and pasted with meekness.

I remember our family a row behind them. My brothers reaching across me to pinch each other, my sister under the pew taking off her Sunday shoes, my mother rolling her eyes and gritting her teeth, while my father

continuaba perdido en una inmersión total dentro del libro de oraciones.

Las De La Garza, nunca vieron nada de eso. Nunca miraban hacia atrás. Su atención estaba enfocada hacia delante, en el altar de la iglesia. Cuando crecieron y tuvieron sus propias familias, conocían muy bien el rito. Tuvieron muchos hijos y esposos fieles. Guisaban, limpiaban y hasta envasaban. La casa de cada una tenía en el sótano, envasado de duraznos, peras, chiles, albaricoques, mermeladas, encurtidos, y escabeche. Hacían el pan y sus tortillas en casa. Cosían cortinas y la mayoría de su ropa. Casarse con una de las De La Garza, le aseguraba a uno tener su propia Martha Stewart, de pelo oscuro.

Estaba yo en el Sams Club el otro día. Miré a la mujer, una, y dos veces. No era posible, pero sí era, sin lugar a dudas, era Margarita De la Garza, estructura pequeña, pelo de sal y pimienta. Miró cautelosa alrededor, antes de levantar su pie y dar una buena patada. La dio con tanta fuerza que casi se cayó; como si su estructura hubiera sido hecha sólo para ser llevada en palestra, como Santa Rosa en su día de fiesta. Después de dar la patada Margarita recuperó su equilibrio. Puso sus brazos en jarras sobre las caderas y se plantó. Fue estupendo verla así, desafiante, porque nunca había entendido, como esas De La Garza podían ser tan buenas. Fue una maravilla ver a Margarita hacer su berrinche y darle la patada a la maquina de bolas, que no le devolvió los veinticinco centavos de chicles, que tenían que venir.

Ahora bajó los brazos a los lados, agarró su bolsa, asumió su ser habitual de hombros inclinados, ojos bajos, y me pidió perdón por pasar delante de mí. Pero la había visto con mis propios ojos. Si era

was removed from it all in a pious state of prayer book immersion.

The De la Garza girls never saw any of it. Their heads never turned. Their attention was riveted to the front of the church. When they grew up and had families of their own, they knew the ritual well. They had plenty of children and faithful husbands. They cooked; they cleaned and they even canned. Each of their homes had cellars with rows of canned peaches, pears, chillies, apricots, jams, pickles, peppers and preserves. They baked bread; made homemade tortillas. They sewed curtains and most of their own clothes. Marrying one of the De la Garza girls assured you of your own raven-haired Martha Stewart.

I was in the Sam's Club one day not too long ago. I looked at the woman once, twice. It couldn't be, but it was. No mistake, it was Margarita De la Garza, the slight build, the salt and pepper hair. She bent over stealthily looking around before she raised her foot and gave the swift kick. The kick had such force she almost fell over. It was as if her slight frame was never meant for more than being carried aloft by four men holding a wooden pallet, like the Santa Rosa statue on her feast day. Then Margarita caught her balance, placed her arms on her hips and stood defiantly. It was great watching Margarita that day, since I never did understand how those De la Garza girls could be so good. It was wonderful to see Margarita have her fit and give the swift kick to the gumball machine, which wasn't yielding its twenty five cents worth of gumballs she felt were her due.

Now she took her arms down to her sides, clutched her purse, assumed her other self with shoulders slightly bent, eyes downcast and said, "Excuse me" to me as she passed. But, I had seen it with my own eyes. If it

39

posible con ella, entonces era posible con todas sus hermanas. Y así fue. Pasaron los años; yo recibía el periódico del pueblo o me escribía mi amiga, Ane Gómez, con los acontecimientos de las De La Garza.

A Estella De La Garza, la pescaron escribiendo graffiti en el muro de la iglesia. Había escrito, —no hay pecado orig.— Cuando el cura, el Padre Humberto, le pidió amablemente que explicara su conducta, ella no pudo decir nada. De curiosidad, le preguntó él por qué abrevió original, refiriéndose al pecado. Sus ojos no lo miraron y con una voz apenas audible, contestó, —No pude, no pude deletrearlo.—

El Padre Humberto comenzó a pensar que el mundo se estaba deshaciendo, cuando Clara De La Garza vino a confesarse, poco después del incidente con Estella. Clara confesó que no podía soportar a Doña Eufemia, su suegra. Clara le dijo en susurros —no lo suficientemente bajos— al Padre Humberto, que había escrito el nombre de Doña Eufemia en un pedacito de papel. Lo había puesto en el zapato, para ir así, pisando a su suegra todo un día. Lo único que le pudo decir el Padre Humberto fue que sacara a su suegra del zapato y que dijera tres Ave Marías.

Otro día levanté el periódico y leí que Toñita De La Garza se había hecho socia de un equipo de mujeres motociclistas. Las invitaron a hacer una gira por el Japón. A Toñita la retrataron en primera fila, con su ropa de cuero y su Harley, poco antes de embarcar el avión rumbo a Tokyo. Se veía extática y con una sonrisa tan grande, que parecía que no iba a necesitar del avión, para llegar a Japón.

Mi amiga, Ane Gomez, me dijo que en el pueblo habían hablado mucho de Rosa De La Garza y sus regalos

were possible with her, it was possible with all her sisters. Time passed, and I begin to get word of the sisters from my friend, Annie Gomez, who had stayed in the village. Occasionally, I would also get a copy of the village newspaper.

Stella De la Garza was caught doing graffiti at midnight on the church wall. She had written: no more orig. sin. When the priest, Father Humberto, asked her gently to explain herself, she couldn't say anything. Out of curiosity, he then asked why she had abbreviated original referring to sin. Her eyes avoided him and with a barely audible voice replied, "I, I just couldn't spell it out."

Father Humberto began to think the world was falling apart when Clara De la Garza came to confession shortly after Stella's orig. sin incident. Clara confessed she did not like her mother-in-law, Doña Eufemia. Clara, in a hushed, but audible, whisper, told Fr. Humberto how she put Doña Eufemia's name on a piece of paper and then put it in her shoe, thereby stepping on her mother-in-law for an entire day. Father Humberto could only advise her to take Doña Eufemia out of her shoe and say three Hail Marys.

Then I picked up the newspaper and read that Tonita De la Garza had joined a women's motorcycle team. They were invited to tour Japan. Tonita was pictured in the front row with her leathers and her Harley just before the plane took off for Tokyo. She looked so ecstatic and had such a big smile it appeared she might not need the plane to get to Japan.

My friend Annie Gomez told me there was considerable talk in the village about Rosa De la Garza and her baby shower gifts.

para niñas. Parece ser que confeccionaba tocados para niñas, hechos de frutas de plástico. Cosía la fruta a una banda de elástico. Las mamás muy orgullosas, les sacaban fotos a sus niñas, en las que aparecían con una manzana o un plátano colgado, cubriéndoles un ojo, como un tocado de Carmen Miranda sin almidón.

Ina de la Garza, se hizo parte de un grupo de bailarinas de tap. Entretenían en los clubes Rotarios y en las Casas de Ancianos. Se llamaban, Las Abuelitas a Todo Dar. Tuvieron su propia carroza en un desfile. La última noticia que tuve, fue, que iban a hacer un calendario con sus disfraces de baile, utilizando un grupo selecto de Abuelitas para cada mes.

Cuando María cumplió setenta años, alguien le dio copia de un poema que se titula, *Cuando Yo Sea Vieja, Usaré Púrpura*. Y lo puso en práctica; anduvo por todas las tiendas de Alburquerque comprando todo lo que encontraba en púrpura. Su esposo, que prefería el lavanda, encontró esto bastante raro. Pero, decidió no decir nada.

Sin embargo, estas bárbaras desviaciones de las de la Garza, no me pueden dejar a mí, sin decir algo. Siento que es mi indiscutible responsabilidad decírselos, en la primera oportunidad que tenga, a Doña Edicia, a Don Elías y hasta a Dios. Cuando lo sepa Doña Edicia, puede pensar en acostarse otra vez, hacer lo que le digan, y ¡boom! comenzar con un lote nuevo. Don Elías podría pensar, que si nomás las acomoda una vez más en la iglesia, todo se arreglará. ¿Y Dios? ¡Pues sólo Dios sabrá!

It seems she crafted hats for baby girls from plastic fruits. She sewed the fruits to an elastic band. Proud moms showed off their baby girls with an apple or a banana covering one eye, in a sort of wilted Carmen Miranda headdress.

Ina De la Garza joined a tap dancing group. They entertained in nursing homes and Rotary Club functions. They had their own float in the Memorial Day parade. They called themselves "The Goin' Grannies". Last I heard they were planning a calendar in their tap dancing costumes, using a select group of the "Grannies" for each month.

When María turned seventy, someone gave her a copy of a poem called "When I am Old I Shall Wear Purple." And so she did. She went to Albuquerque to store after store, buying everything she could find in purple. Her husband, who preferred lavender, thought it odd, but decided it was best to say nothing.

However, these escapades can't leave me mute. I feel it is my unmitigated responsibility at the first opportunity to tell Doña Edicia, Don Elías and even God. Doña Edicia might be inclined to ly splayed on the bed, do what she is told and boom, start over with a new batch. Don Elías might think that if he just ushers the whole bunch into church one more time, it'll work out. And God? Well, God only knows what God will think!

MARÍA FÉLIX MURIÓ EL LUNES

También mi Abuela. Tenían la misma edad, ochenta y ocho años, pero no tenían mucho en común. María Félix tuvo cinco esposos y un hijo; mi Abuela cinco hijos y un esposo. También tuvo una Hija, pero después, les digo de eso. María Félix, la Jennifer López de su tiempo, en México, y mi Abuela, eran unas bellezas con pelo moreno. María Félix tenía la piel clara como de una aristócrata Castellana. Mi Abuela era morena como la tierra de su pueblo Zapoteco. Las dos tenían ojos grandes, obscuros. Los de María Félix eran como de venado, coquetos y no muy profundos. Los de mi Abuela estaban enterrados en sus pómulos, y te miraban desde algún lugar del infinito.

María Félix tenía una nariz pequeña, recta y fina. Mi Abuela tenía una nariz larga, aquilina, que le daba el perfil de una sacerdotisa. Mi Abuela llevó largas y gruesas trenzas toda su vida. Sólo al final, se volvieron color de plata. María Félix llevaba siempre el peinado según la moda. Como vivió mucho tiempo en Francia, con uno de sus esposos, la moda se hizo parte de su ser. La única moda que preocupó a mi Abuela, fue su huipil blanco y limpio con un delantal recién almidonado. Aprendió temprano de delantales porque a los quince años, la mandaron sus padres a Oaxaca, para trabajar en la casa de una familia española, de la clase alta. Esa familia tenía un hijo de veintiún años y su rito para ser hombre, incluyó el tomar a la joven criada de Zimatlán, para que se acostara con él; un rito que ella no comprendió y donde no tuvo voz. Parece ser que María Félix siempre tuvo una voz, y por lo que dicen, no titubeaba en usarla.

Cuando se embarazó mi Abuela, los españoles le

MARÍA FELIX DIED ON MONDAY

So did my grandmother. They were the same age, eighty-eight, but they had little in common. María Felix had five husbands and one son; my grandmother, five sons and one husband. She also had a daughter, but more about that later. María Felix, the Jennifer Lopez of her day in Mexico, and my grandmother were both raven haired beauties. María Felix had the fair skin of a Castilian aristocrat. Grandmother was dark like the earth of her Zapotec village. Both had large brown eyes. María Felix's eyes were doe eyed, flirtatious and near the surface. My grandmother's eyes were buried deep into her cheekbones and they looked at you from some place near eternity.

María Felix had a small, straight nose. My grand-mother had a large, aquiline nose that gave her the profile of a priestess. My grandmother wore long, thick braids all her life. They became silver white only at the very end. María Felix had hairstyles to follow the fashions. Since she lived a long time in France with one of her husbands, fashion be-came a part of her being. The only fashion my grandmother ever concerned herself with was her clean white huipil dress and a freshly starched apron. She learned about aprons early, because at fifteen, she was sent by her parents to work in the household of one of Oaxaca's Spanish upper class families. They had a twenty one year old son whose coming of age included requiring the young maid from Zimitlan to have sex with him. It was all part of a ritual she didn't understand and where she had no voice. It seemed María Felix always had a voice and, from all accounts, she never hesitated to use it.

When Grandmother became pregnant, the family

45

permitieron quedarse hasta que naciera su hija. Entonces la exiliaron a su pueblo y se quedaron con la niña. Casaron al hijo, con alguien de estado social "apropiado" y la niña se quedó con ellos. La hija, Marinela, mi tía, es otra de las leyendas de mi Abuela, quien esperaba a distancia segura, para poder mirarla. El "apropiado" matrimonio se mudó a México, donde creció la niña y entonces mi Abuela, ya ni siquiera de lejos, pudo verla más. Cuando tenía dieciocho años, la niña vino a pasar el verano con sus abuelos en Oaxaca. Se enamoró de un Oaxaqueño y en el verano siguiente, se casó con él.

—Me esperé, parada fuera de la Iglesia de Santo Domingo, una hora y media para poder verla. Era una belleza con su traje largo, blanco, con perlas y orquídeas en sus manos—. Me dijo una vez mi Abuela. Se quedó callada, suspiró profundamente y se miró las palmas de las manos, como para dar énfasis a su sentimiento de impotencia. ¿Alguna vez, conoció María Félix tal impotencia?

Poco después de ver a su hija casarse en Santo Domingo, ella mandó a mi Tío Tino, su segundo hijo, a la casa del joven matrimonio, para pedir empleo como jardinero. Lo emplearon, y él, obedientemente, le daba reportes a su mamá, sobre sus jóvenes patrones. Pronto lo estaba mandando al trabajo con tamales de mole, tortillas especiales, salsas de coloradito, o ceviche fresco para ellos. Un día, el matrimonio la invitó a su casa. Mi Abuela se atrevió a contarle a mi tía su historia y las dos se abrazaron entre muchas lágrimas. Todos los días se veían, para compensarse por el tiempo perdido. No sé si María Félix y su hijo se compensaron alguna vez por los tiempos perdidos.

Mi Abuela sólo salió de México una vez. A los

allowed her to stay until her daughter was born. She was then dismissed, and they kept the infant girl. They married the son to someone of "proper" social standing and the child became their daughter. The child, Marinela, is another of my grandmother's legends. Grandmother would wait at safe distances to catch glimpses of her little girl. Then the young man and his appropriate wife moved to Mexico City where Marinela grew up. When she was eighteen, she came to spend the summer with her grandparents in Oaxaca. She fell in love with a Oaxaqueño and the following summer they were married in Oaxaca.

"I stood outside Santo Domingo church for one and a half hours waiting to see her. She was beautiful in her long white gown with pearls and the orchids in her hands." Grandmother told me once. She became silent, took a deep sigh and held her hands palms up, staring at them, as if to emphasize her feeling of helplessness. Would María Felix ever have known this kind of helplessness?

Not long after grandmother watched my aunt get married at Santo Domingo, she sent Uncle Tino, her second son, to the young couple's house to ask for a job as a gardener. They hired him and he dutifully reported to his mother, the young couple's activities. Soon she was sending him to work with mole tamales for the couple; then special tortillas, coloradito sauces, fresh ceviche. One day the young couple invited her to their home. My grandmother decided to tell her daughter her story and the two were tearfully reunited. She became my grandmother's best friend. They saw each other every day as if to make up for lost time. I don't know if Mária Felix and her son ever made up for lost time.

Grandmother only left Mexico once. At

diecisiete años, se casó con un joven de su pueblo, Zimatlán. Cuando nació el cuarto hijo, su esposo decidió irse a los Estados Unidos, porque le dijeron que allá necesitaban trabajadores para el ferrocarril. Después de un año en Cleveland, mandó por su familia. Mi Abuela fue en tren y en camión a Cleveland, con sus cuatro hijos y sus posesiones en tres cajas de cartón. Era diciembre y el frío del Lago Erie, le mordía hasta los huesos. Se quedaba casi todo el tiempo en su departamento pequeñito, en el lado Oeste de la ciudad. Sólo podía hablar con Portorriqueños, pero su español, muchas veces, le resultaba tan difícil de entender como el inglés.

Ella se quedó hasta la primavera y luego anunció que necesitaba regresar a Oaxaca. Era incapaz de pasar la vida en ese lugar tan frío y extraño. Su esposo se quedó callado y la miró fijamente. No trató de cambiarle la mente. Parece que él sabía que ella siempre se sentiría desplazada, si se quedaba. María Félix era una mujer de mundo. Viajó por todas partes y vivió donde le dio la gana. El único hogar verdadero de mi Abuela fue Oaxaca, en México. Su esposo la ayudó a empacar sin decir nada. En la estación del ferrocarril, abrazó fuerte a sus hijos y levantó a cada uno hacia el tren. El mayor, tenía siete años.

Ella jamás oyó otra palabra de él. Sin embargo, él mandaba, fielmente, dinero a sus padres para sus hijos. Sus suegros la invitaban a su casa mensualmente y le daban el dinero. Poco después de su llegada a Oaxaca, descubrió que estaba embarazada de su quinto hijo, mi papá. Se los dijo a sus suegros y ellos deben haberle dado la noticia a mi abuelo, porque su mensualidad aumentó en cincuenta dólares. Por dieciocho años su esposo le mandó doscientos cincuenta dólares cada mes. Ella siempre le

seventeen, she married a young man from her village of Zimitlan. When the fourth son was born, her husband decided to go to the United States where he heard the railroad needed workers. After a year in Cleveland, he sent for his family. Grandmother went on buses and trains to Cleveland with her four sons and their belongings in three cardboard boxes. It was December and the cold off Lake Erie bit into her bones. She stayed most of the time in their little apartment on the Near West Side. She could only speak with Puerto Ricans but their Spanish was often as strange to her as English.

She stayed until spring and then announced that she needed to go back to Oaxaca. She could not spend her life in this strange, cold place. Her husband sat silent and stared at her. He didn't try to change her mind. Somehow, he knew she would always be displaced if she stayed. María Felix was a woman of the world. She traveled widely and lived wherever it pleased her. Grandmother's only real home was Oaxaca, Mexico. Her husband helped her pack without saying anything. At the train station, he threw his arms around his boys and lifted each of them onto the train. The oldest was seven.

She never heard from him again. However, he faithfully sent money for his sons to his parents. They would invite her to their home and give her the money he sent on a monthly basis. Soon after her return to Oaxaca, she found she was pregnant with the fifth son, my father. She told her in-laws and they must have relayed the news to her husband because her monthly allotment increased by fifty dollars. For eighteen years her husband sent $250 a month. She wrote him frequently,

escribió, sin recibir respuesta. Hasta su muerte, esperó una carta. ¿Hubiera podido María Félix esperar por alguien tanto tiempo?

—¿Te imaginas que no ha escrito?— decía de buenas a primeras, a veces, a nadie en particular. Poco antes de su muerte, mi padre tuvo noticias de que su papá había chocado su coche, con un tren en Cleveland. Alguien de Zimatlán, había visto la noticia en un periódico. Ahí se indicaba que no había familia inmediata. Nos pareció mejor no avisarle a mi Abuela, porque su esperanza de una carta, era una de las pocas esperanzas que le quedaban.

Mi Abuela usó parte de su mensualidad para poner un puesto de verduras en Abastos, el mercado principal de Oaxaca. Le fue muy bien, porque exhibía su verdura maravillosamente y era de la mejor del mercado. Sus hijos la ayudaban después de la escuela y los fines de semana.

Tomaban turnos, dependiendo de sus tareas, ya que la tarea de la escuela era lo más importante. Desde el principio, les hizo entender eso. Ahora los hijos incluyen un médico, un contador, un ingeniero industrial y dos abogados. Uno de ellos es mi papá.

Fue mi papá quien convenció a mi Abuela de que viniera a vivir con nosotros. Cuando tenía setenta y cinco años, se cayó malamente en el piso mojado del mercado, enfrente de su puesto. Mi padre la convenció para que lo cerrara. Pero no lo dejó por completo. Hace poco, mi niño de ocho años me dió su impresión, acerca de la capacidad de negociante de mi Abuela.

—Mami— me dijo, mirándome todo confundido. —Yo no entiendo como vende la Abuelita—.

— ¿Por qué?— le pregunté, sabiendo muy bien que con ella cualquier cosa era posible.

but she never got an answer. Until her death, she expected a letter and never understood his silence. Could María Felix have waited that long for anyone?

"Can you imagine that he hasn't written?" grandmother would blurt out, sometimes to no one in particular. Shortly before her death, my father, her fifth son, got word that his father had driven his car in front of an oncoming train in Cleveland. Someone from Zimatlan had seen the newspaper article, which indicated that there were no known next of kin. It seemed better not to tell Grandmother because her hope for a letter was one of the small hopes she had left.

Grandmother used part of her monthly allotment to set up a vegetable stand at Abastos, the main market in Oaxaca. She did very well because her produce was always beautifully displayed and among the best in the market. Her sons helped her after school and on weekends.

They took turns, depending on how much homework they had. Schoolwork was always first. From the beginning, she made them understand that. Now the sons include one doctor, one accountant, one industrial engineer, and two lawyers. One of them is my father.

It was my father, who convinced grandmother to come and live with us. When she was seventy-five, she had a bad fall on the wet floor of the market in front of her stall. My father convinced her to give up her vegetable stand. Yet she never entirely gave it up. Not long ago my eight-year old son gave me his impression of her business skills.

"Mom" he said, looking up at me puzzled, "I don't understand how Abuela does business."

"Why?" I asked, knowing full well, anything was possible.

—Pues, esta mañana fui con ella al Mercado. Tenía un banquito y un petate. Primero, compramos un saco de cebollas. Entonces me pidió que le ayudara para amarrar las cebollas en ramitos. Después, escogió un lugar en la esquina del mercado y se sentó en su banquito. Le ayudé a arreglar sus cebollas sobre el petate, enfrente de ella. Vino un señor y le preguntó a la Abuelita cuanto costaban sus cebollas. Ella le dio el precio y él dijo que las quería todas. ¡No se las quiso vender!— me dijo incrédulo, mi hijo.

—No, Señor— le dijo, —No le puedo vender todas mis cebollas. ¿No ve cuanto sol queda en el cielo? Si se las vendo todas, no tendré nada que vender. Entonces ¿qué hago hasta la puesta del sol?—.

Mi Abuela se aseguró de tener trabajo hasta su puesta de sol. María Félix encontró que no había mucho que hacer, para una actriz haciéndose vieja, en el Hollywood mexicano. Cuando lo pienso, lo más que compartieron estas dos mujeres, fue la muerte, el lunes pasado. Abuela, con su desaparición parece que hay un agujero gigantesco en mi universo. María Félix, Bon Voyage.

"Well, I went with her to the market this morning. She had a little bench and a petate, her grass mat. First, we bought a sack of onions off one of the trucks. Then she asked me to help her tie the onions in bunches. Afterwards, she picked a spot in the corner of the market. She sat down on her little bench. I helped her arrange the onions on the petate in front of her. A man came by and asked Abuela how much her onions were. She gave him the price and he said he wanted all of them. She wouldn't sell them to him!" my eight-year old exclaimed, looking incredulous.

"Oh no, Señor," she said, "I can't sell you all my onions. Do you see how much sun is still in the sky? If I sell all of them, I will have nothing left to sell. Then what will I do until sundown?"

Grandmother assured herself of work until her sundown. María Felix found there wasn't much for her to do as an aging actress in the Mexican Hollywood. When I think about it, the most these two women shared was death last Monday. Grandmother, with you gone, it seems there's a giant hole in my universe. María Felix, Bon Voyage.

LA VACA BRINCÓ SOBRE LA LUNA

—Y el plato se escapó weeth the espoon— dijo Juan lentamente. El inglés, que acababa de aprender, todavía no se deslizaba por su lengua.

— ¡Híjole!— dijo su primo hermano y mejor amigo, Valentín. –Las vacas no brincan tan alto y los platos no se escapan— Agarró el libro de su primo de ocho años y comenzó a hojear las páginas. No encontró nada que le gustara y guardó el libro.

—Vamos a jugar afuera. ¿Quieres tratar de lazar los postes en el corral? —.

—O. K.— dijo Juan. Pero, sintió que era su responsabilidad añadir: —La Madre Gertrudis nos dijo que debemos ensayar nuestra lectura en Inglés, o vamos a seguir hablando Spanglish, narrando nuestras *estories*—.

—No es estories, hombre, no recuerdas que no se dice la "e". Es *stories*— dando un golpe en su mano, con el puño cerrado, para dar énfasis. La Madre Gertrudis había hecho lo mismo ayer, exasperada con estos niños de habla española, que continuaban añadiendo su es-*spice* al inglés.

Valentín no quería provocar la aparición del lado oscuro de la Madre Gertrudis otra vez. La semana pasada, ella había encontrado una nota de Valentín para Juan, donde hablaba de un posible romance entre la Madre y el Padre Humberto. No era pura especulación, porque había visto a los dos susurrando, en conversación privada, detrás de la iglesia. Estaba exasperado, porque Juan, sumisamente, llevó la nota al escritorio de ella, como un borrego yendo a la matanza. Debería habérsela comido, en vez de entregarla. Los dos tuvieron que quedarse, terminadas las clases, a limpiar las pizarras y vaciar los

THE COW JUMPED OVER THE MOON

"And the plat-eh ran away weeth the espoon," Juan said slowly. His newly learned English not quite rolling off his tongue.

"Hijole!" said his first cousin and best friend, Valentin. "Cows don't jump that high and plates don't run away." He grabbed the book from his eight year old cousin, his primo, and begin to turn the pages. He found nothing to satisfy him and put the book down.

"Let's go play outside. You want to try roping the posts at the corral."

"O.K." Juan said. But he felt it his duty to add: "Sister Gertrude said we better practice our reading in English or we'll be speaking Spanglish telling our es-tories."

"It's not estories, hombre, don't you remember there's no e there. It's stories," bringing his arm down with a fist in front of him for emphasis. Sister Gertrude had done that in class yesterday, exasperated at these Spanish speaking kids who kept adding their "espice" to English.

Valentin didn't want to be on the dark side of Sister Gertrude again. Last week she found Valentin's note to Juan, talking about a possible romance between Sister and Father Humberto. It wasn't pure speculation since he had seen the two in whispered conversations behind the church several times. He was exasperated. Juan meekly took the note up to her desk like a sheep to slaughter. It should have been eaten, rather than surrendered. Both of them had to stay after school, clean the blackboards and empty the

cestos de basura de toda la escuela. Entonces, ella hizo que Valentín escribiera cien veces: "No difamaré la buena fama de mi profesora". Después le lanzó un largo discurso sobre la importancia del respeto a las autoridades. Eran casi las cinco, cuando llegó a casa. Juan ya le había informado a Doña Paula, que su hijo favorito se había quedado atrás, para ayudar con unas cuantas tareas en la escuela. Afortunadamente, ella estaba ocupada haciendo pozole, cuando él llegó a la casa. No le preguntó más.

Ahora, dándole un portazo a la puerta de biombo, salieron, echando carreras, hacia los corrales. Primero, se pararon en el establo donde recogieron sus lazos. El sol de Nuevo México los seguía, saliendo y entrando de las nubes, con fondo de cielo azul. Los primos vivían uno enfrente del otro y pasaban juntos, todas las horas que estaban despiertos. Tenían caballos que ensillaban y los subían a precipicios de creta, rodeando nidos de víboras, que conocían bien. Galopaban cruzando campos y, a veces, se atrevían a brincar las acequias de regar. Ocasionalmente, los caballos tenían más sentido común que ellos y se paraban de repente, rehusándose a continuar. Los domingos, los primos se sentaban en la barrera, viendo a sus vecinos y a otros primos, que participaban en jaripeos improvisados. Había lazado de becerros y monta de toros. Sólo de vez en cuando, había un caballo salvaje, accesible para montar. Cuando los primos llegaron a la adolescencia, casi no podían esperar para formar parte de los jaripeos de domingo. Ensayaban suertes, con el lazo, en el corral de Juan, por horas. El caballo de Valentín, Diamante, un gran caballo alazán, era el mejor caballo para lanzar el lazo por esos lugares. Podía voltear sus ijares en una moneda de cobre y estar sobre el becerro en un santiamén, como un combatiente a

wastebaskets for the whole school. Then she made Valentin write one hundred times: "I will not defame my teacher's good name," after a long lecture about the importance of respect for authority. It was almost five when he got home. Juan had already informed Doña Paula that her favorite son stayed behind to help with "a few chores" at the school. Fortunately, she was busy making pozole when he got home. She asked no further questions.

Now, slamming the screen door, they went racing out toward the corrals. First stop was the barn where they picked up their lariats. The New Mexico sun was following them in and out of clouds and bluest sky. The cousins lived across the road from each other and they spent every waking hour together. They had horses they saddled and rode up chalk cliffs, around rattlesnake dens they knew well. They galloped across fields and sometimes dared to jump the irrigation ditches. Occasionally, the horses had more sense, and came to a dead stop, refusing to proceed with the inadvisable. On Sundays, they would sit on the fence and watch their older cousins and neighbors perform at the improvised rodeos. They had calf roping and bull riding. Occasionally, a wild horse was available for bronc riding as a bonus. When the primos reached their teens, they could hardly wait to be part of the Sunday rodeos. They practiced roping in the corral at Juan's place for hours. Valentin's horse, Diamante, a big sorrel quarter horse, was the best roping horse in the area. He could turn his big flanks on a dime and be on top of the calf like a savvy warrior.

punto. Pero Juan podía lazar mejor que Valentín. Podía darle vuelta al lazo y dar un salto de acróbata, desde el caballo, para amarrar las patas del becerro, a la máxima velocidad. Para los jaripeos de domingo, Valentín siempre le prestaba su caballo. Diamante y Juan, juntos, tenían el mejor tiempo en lazada de becerros.

La escuela casi fue una interrupción en esos años. Otra interrupción fue la muerte repentina de la mamá de Valentín, cuando él tenía diez años. Tuvo un infarto del corazón a los treinta y siete. La hallaron sentada a la mesa de la cocina, mirando directo enfrente, como si no pudiera creer lo que le había pasado. El hospital estaba demasiado lejos para ayudar. Después de eso, la amistad de los niños aumentó, porque se criaron compartiendo el amor de la mamá de Juan, doña Paula, cuya capacidad para nutrir, alcanzó al medio huérfano de enfrente. Siempre se le incluía para la cena, porque su papá llegaba a la casa hasta muy tarde. Los fines de semana, si su papá estaba trabajando horas extra, en el taller mecánico, Valentín traía su saco de dormir y se quedaba por la noche. En los veranos, los jóvenes ponían una carpa en el jardín. Se quedaban mirando el cielo de la noche y hablando de lo que se movía a través de su existencia en ese momento. Las estrellas eran oyentes silenciosas, en las vidas de estos dos jóvenes primos de Nuevo México.

Andando el tiempo, Valentín habló con Doña Paula, acerca de alistarse en el servicio militar. Pearl Harbor acababa de ocurrir y él no tenía dudas acerca de que lo necesitaban y hacia donde debería ir su vida. Él y Juan se dijeron adiós, con abrazos fuertes y lágrimas en los ojos. Entendieron que su mundo había cambiado, como el pasto en una pradera que se seca. Juan se quedaría para ayudar en la granja. A Valentín lo mandaron a Fort

But Juan was a better roper. He could swing the lasso and do an acrobat's leap off his horse to tie the calf's feet in record time. For Sunday rodeos, Valentin always lent Juan his horse. Diamante and Juan, together, held the record time for calf roping.

School was almost an interruption in their lives those growing up years. Another interruption had been the sudden death of Valentin's mother when they were ten. She had a heart attack at thirty-seven. They found her seated at the kitchen table, staring straight ahead as if she couldn't believe what happened. The hospital was too far for any help. After that, the boys became even closer as they grew up sharing Juan's mother, Doña Paula, whose nurturing skills just stretched to include the half orphan from across the road. He was always included for dinner because his dad didn't get home until late. Weekends, if his dad was working at the mechanic´s shop overtime, Valentin would bring his sleeping bag and stay over. Summers the boys pitched a tent in the yard. They would stare at the night sky and talk about whatever or whoever was moving across their existence at that moment. The stars were silent listeners in the lives of these two young primo friends from New Mexico.

It was Doña Paula, Valentin first talked to about joining the army. Pearl Harbor had just happened and Valentin had no doubts about how he was needed and where his life should go. He and Juan said goodbye to each other with intense bear hugs and tears in their eyes. They realized their world had changed like meadow grass gone dry. Juan was going to stay behind and help on the farm. Valentin was sent to Fort

Ord, California para su primer entrenamiento. Le escribió a Juan que el hacer campamento en el ejército, no tenía nada que ver con mirar las estrellas, desde su carpa en la casa. Juan podía detectar que su primo sufría de nostalgia. La siguiente carta fue de Las Filipinas. Juan conocía a su primo tan bien, que podía leer entrelíneas y darse cuenta de que Valentín se encontraba en un mundo extraño, tan diferente, que empequeñecía los recuerdos de su hogar. No había vaca brincando sobre la luna, o platos que se escaparan, pero sí mucha selva, bichos y un calor sofocante.

Terminó la carta diciendo, —Juan, estoy contento de que no estás aquí. Es mejor que estés ahí, ayudando, cabalgando con tu caballo por los precipicios y participando en los jaripeos. Si vas al baile el sábado, échate un baile con Toñita, por mí. Tu primo amigo. Valentín—. Por algo, sentía Juan, que Valentín no le había dicho toda la historia.

Después no hubo noticias. Ni cartas. Nadie sabía nada. En la Casa de Correos, todos los días era un rito con los vecinos y los parientes. – ¿Juan, has recibido carta? ¿Hay noticias? ¿Ha escrito?—.

—No— les decía Juan a todos. Dentro de si, hacía oraciones silentes. —Dios, por favor, déjelo, que esté bien— Entonces, cerraba los ojos y decía —Eres fuerte, Valentín, sé que lo eres, donde estés—. Al cerrar los ojos, casi podía sentir que Valentín lo escuchaba. Eso es lo que quería. Quería que Valentín oyera su voz, como un salvavidas, que cruzaba los kilómetros.

Después, Juan supo de la Marcha de Bataan. Al batallón de Valentín, el de Nuevo México, lo habían capturado los japoneses y tomado a todos como prisioneros. Los forzaron a marchar por días sin comer. Sólo los más fuertes sobrevivieron. A los que se caían

Ord for boot camp. He wrote Juan that camping out in the army wasn't at all like staring at the stars from their tent back home. Juan could tell his primo friend was homesick. The next letter was from the Philipines. Juan knew his primo friend so well, he could read between the lines and realize that Valentin found himself in a strange world, so different that it withered his memories of home. No moon jumping cows or runaway plates, but lots of jungles, bugs and sweltering heat.

He ended the letter saying, "Juan, I'm glad you're not here. You're better off helping out, riding your horse across the cliffs and doing the rodeos. If you go to the dance on Saturday, dance one with Tonita for me. Your primo friend, Valentin." Somehow, Juan felt he had not been told the whole story.

Then there was no news. No letters. No one knew anything. At the Post Office, every day was a ritual from the neighbors and relatives. "Juan, did you get a letter?" "Any news?" "Has he written?"

"No," was Juan's answer to all of them. To himself he just made silent prayers. "Please God, just let him be o.k." Then he would close his eyes and say, "You're strong, Valentin. I know you are, wherever you are." By closing his eyes, he could almost feel Valentin listening. That's what he wanted. He wanted Valentin to hear his voice like a life jacket across the miles.

Later, Juan learned about the Bataan Death March. Valentin's battalion, from New Mexico, had been taken as prisoners by the Japanese. They were forced to march for days without food. Only the strong survived. The ones who fell down

durante la marcha los mataban con bayonetas. Por tres años y medio, Juan no supo si Valentín había sobrevivido. Escribió cartas. Llamó a gente del Congreso. Cuando supo de su mejor amigo, la guerra había terminado y los prisioneros fueron liberados. Estaba Valentín entre ellos, pero sólo quedaba como la mitad. Al final el —eres fuerte, Valentín— de Juan, había sido un pequeño susurro. La privación fue tan grande, que su cuerpo jamás volvería a estar completo. Le quitaron la mayor parte del estómago. Regresó a su pueblo y crió una familia en su pequeña granja, con mucho dolor y apenas, un peso de sobra. Juan vivía cerca, con su familia, y compartían el trabajo de las dos granjas entre ellos. Cuando Valentín tenía setenta y cuatro años de edad, Juan se enteró, por casualidad, de que su primo podía reclamar una pensión, como ex prisionero de guerra. Eso ayudó.

Ahora, tiene ochenta y cinco años y Valentín pasa la mayor parte del día, con su cuerpo frágil resbalándose más y más sobre el sillón, cerca de la ventana. Sus piernas delgadas, embutidas en pantalones de sweat bien usados, cuelgan sobre el descanso del sillón, hasta que alguien viene, y lo levanta otra vez a su lugar. Puede ver los precipicios, pero ya no mira las vacas que brincan sobre la luna, o los platos que huyen. Juan lo visita casi todos los días. Recuerdan a sus padres, sus caballos, los jaripeos, los bailes, las granjas y a sus hijos.

Pero Valentín nunca ha hablado de la guerra, o de su tiempo como prisionero. Una vez le dijo a Juan, —No puedo. No puedo—.

La esposa de Valentín, Toñita, descubrió más de lo que él había dicho nunca, en una convención de prisioneros de guerra, cuando oyó a los hombres hablando entre sí. Después de esto, ella no le volvió a preguntar.

Nora Jacquez

during the march were bayoneted on the spot. For three and a half years Juan didn't know if Valentin had survived. He wrote letters. He called Congressmen. When he found out about his best friend, the war was over and the prisoners released. Valentin was among them but only about half of him was left. In the end Juan's "you're strong, Valentin," had been a slight whisper. The deprivation had been so great that his body was never whole again. Most of his stomach was removed. He came back to his village and raised a family on his small farm with lots of pain and barely a spare nickel. Juan lived down the road with his family and they shared the farm work between them. When Valentin was seventy-four, Juan found out, quite by accident, that his primo might be entitled to a pension as a former prisoner of war. That helped.

Now he's eighty five and Valentin spends most of the day with his frail body slipping farther and farther down into his recliner near the window. His thin legs in well-worn sweat pants, hang over the footrest until someone comes and lifts him back into place. He can see the chalk cliffs but still no moon jumping cows or runaway plates. Juan visits Valentin almost daily. They reminisce about their parents, their horses, the rodeos, the dances, the farms, the children.

But Valentin has never talked about the war or his time as a prisoner. Once he told Juan, "I can't, I just can't."

Valentin's wife, Tonita, found out the most at a Prisoner of War Convention when she overheard the men talking among themselves. She has never asked again.

63

El miércoles pasado, cuando vino Juan a visitarlo, Toñita estaba en la cocina, y podía escuchar a Valentín y Juan hablando del pasado, de andar a caballo en los precipicios y de todas esas cosas.

Siguió pelando las papas. Cuando se dió cuenta del silencio en la otra habitación, asomándose desde la esquina, vió a los dos primos amigos, sentados uno enfrente del otro, así, bién dormidos. La mano de Juan descansaba tranquilamente sobre la de Valentín, en el brazo del sillón.

Last Wednesday, when Juan came to visit, Tonita was in the kitchen, and she could hear Valentin and Juan reminiscing about their horseback riding on the cliffs.

She went on peeling potatoes when she realized there was silence in the other room. Poking her head around the corner, she saw the two old primo friends seated facing each other, sound asleep, with Juan's hand quietly resting over Valentin's, on the arm of the recliner.

QUIÉN ESTA ESCUCHANDO

La iluminación de atrás, en la pequeña capilla, hacía que la imagen de tamaño natural del Sagrado Corazón, pareciera como un buen anfitrión, esperando a sus huéspedes. Sus ojos eran intensos y directos. Sus manos, hermosamente esculpidas, estaban levantadas, una en saludo y la otra cerca, de su corazón. Los pliegues de su ropa denotaban suavidad. La gente entraba a menudo en la capilla, para un momento de visita tranquila. A veces, la Capilla del Sagrado Corazón, de la Catedral de Oaxaca, era el refugio de los murmullos ininteligibles del viejo cura, que celebraba la Misa en el altar principal, con el cansancio propio de la repetición. La capillita tenía cuatro pequeñas bancas y un altar que elevaba al Sagrado Corazón, a alturas impresionantes. Él siempre estaba adornado con floreros llenos de gladiolas blancas, o lilas de aroma delicado. Fotografías y notas abandonadas sobre el altar, indicaban peticiones especiales. Las historias, con frecuencia se dejaban sin escribir, pero ocasionalmente alguien dejaba un voto escrito de su dolor o su agradecimiento. Una mujer mayor con un delantal fresco y zapatillas viejas, acababa de dejar un papel en el altar. En cuanto se volteó para tomar su asiento en la banca, oyó a una mujer sollozando y hablando en voz alta frente al altar. Las palabras le brotaban como si conversara familiarmente, con un amigo entrañable.

—Cristo, tú lo sabes todo. Tú sabes como me siento. Tú sabes cuanto necesito tu ayuda. Cuento contigo para que me des la fuerza. Sin Ti, no puedo continuar. Es muy difícil para mí. Pues aquí estoy, ante Ti, creo que me oyes, que me quieres, que me ayudarás a llevar este peso—. Se paró sólo lo bastante para limpiarse los ojos y luego

WHO'S LISTENING

The back lighting of the tiny chapel made the life-sized Sacred Heart of Jesus statue look like a kind host waiting for his guests. The eyes were intense and direct. His beautifully sculpted hands were raised, one in greeting and the other near his heart. The folds of his clothing draped him in softness. People often ducked into the chapel for a moment's quiet visit. Sometimes the Sacred Heart Chapel of Oaxaca's cathedral provided a refuge from the unintelligible mumblings of the old priest who said mass at the main altar with the weariness of repetition. The chapel had four small benches and an altar, which raised the Sacred Heart to impressive heights. He was always bedecked with vases of white gladioli, or lilies that lent a delicate aroma. Photographs left on the altar indicated the special petitions of loved ones. The stories most often were left untold but occasionally someone left a written account of their sorrow or gratitude. An older woman with a fresh white apron and worn house slippers had just left a paper at the altar. As she turned to take her seat in a pew, she heard a woman sobbing and talking out loud before the altar. The words came tumbling out as in familiar conversation with a trusted friend.

"Christ, you know everything. You know how I feel. You know how much I need your help to continue. I count on you to give me the strength. Without you, I cannot go on. It is too difficult. So here I am before you believing that you are there, that you love me, that you will help me carry this burden." She stopped only long enough to wipe her eyes and then

los sollozos comenzaron otra vez.

La mujer mayor escuchó; luego, miró a la imagen de Cristo y comenzó un diálogo mental, sin quitarle los ojos.

—Bueno, puedes ver que aquí te necesitan ahora. Debes estar oyendo, porque esto requiere ayuda inmediata y tienes que estar. Sé que la has escuchado. No puedes decepcionarla—.

Por intuición, se levantó para abrazar a la mujer sollozante. —¿Qué le pasa? Siéntese aquí, por favor—. Le entregó un pañuelo blanco y limpio del bolsillo de su delantal.

—Mi esposo— dijo la mujer, con un suspiro, tratando de no sollozar al limpiarse los ojos con el pañuelo. —Mi esposo murió hace quince días. Tenía cuarenta y nueve años. Lo llevé al médico dos veces con una mala tos. Lo mandaron a la casa con una medicina que no lo alivió. La tercera vez que lo llevé, apenas podía respirar. Lo internaron en el hospital. Eso fue el miércoles; para el viernes, por la mañana, estaba muerto. Es mala suerte ser pobre. Si hubiéramos tenido dinero, entonces lo hubiera visto un buen medico. Mejor medicina lo habría curado. Para los pobres, la enfermedad es la peor suerte. Les envidio a los ricos, si se enferman, es seguro que recibirán atención. Mi esposo no debió haber muerto. No era su tiempo. Me quedo sin nada. Mi mejor parte se ha ido. Tenía diabetes y, como consecuencia, el año pasado perdió la vista. Así que siempre estábamos juntos. No me gustaba dejarlo solo. Ahora soy yo, la que quedo sola—.

Suprimió otro sollozo. —Sólo puedo esperar que el Señor me oiga. Él sabe cuanto necesito su ayuda para seguir viviendo, porque ahora, nada me importa—.

the sobs began again.

The older woman listened and then looked up at the Christ figure and began making mental notes without taking her eyes off the statue.

"All right," she thought, "you can see here that you are needed now. You better be listening because this calls for immediate help and you just have to be there. I know you've heard her. You can't disappoint her."

Intuitively she stepped over and put her arm around the sobbing woman. "What is the matter? Sit down here." She reached in her apron pocket and pulled out a clean white handkerchief.

"My husband" the woman sighed trying to stop the sobbing as she wiped her eyes with the handkerchief. "My husband died fifteen days ago. He was forty-nine years old. I took him to the doctor twice with bad coughing. They sent him home with medicine which didn't help. The third time I took him he could hardly breathe. They put him in the hospital. That was a Wednesday and by Friday morning he was dead. It is bad luck to be poor. If we had had money, then a better doctor, better medicine would have helped us. For the poor, sickness is the worst luck. It is not that I envy the rich, but they get sick and they make sure they get attention. He didn't need to die. It wasn't his time. I'm left with nothing. The best part of me is gone. He had diabetes and last year he lost his sight. So, we were always together. I never wanted to leave him alone. Now I am the one alone."

She suppressed another sob. "I can only hope the Lord hears me and that he knows how much I need his help to go on living because right now nothing matters."

La mujer mayor miró hacia arriba, a la imagen. —Tienes que estar escuchando. Aquí hay alguien que te necesita. No puedes dejarla sin amparo,— pensó, al apretar el hombro de la mujer sollozante.

—Gracias— le dijo la mujer. —Gracias por estar aquí. Me siento un poco mejor. Gracias— repitió al voltearse y caminar despacio, hacia la salida de la capilla, sobando su vestido y limpiándose las manos arriba y abajo sobre sus muslos, como si por ahí, encontrara algún consuelo.

Caminando a su casa, la mujer mayor se obsesionó sobre si el Sagrado Corazón, habría escuchado a la mujer desesperada. Perdida en sus pensamientos, fue al dar vuelta a la esquina de su calle, cuando se dio cuenta, que ella misma, era parte del proceso. ¿Qué no había estado ahí? Ahora tenía que hacer algo para asegurarse de que Él escuchara. ¿Qué podía hacer? ¿Cómo iba a asegurarse de que oyera?

Cuando pasó frente a su ventana delantera, se le ocurrió, de repente, que podía construir su propio altar para El Sagrado Corazón en su ventana. Informaría a sus vecinas, incluyendo a Doña Delfa, su vecina de al lado, de quien ella sabía, era una gran devota del Sagrado Corazón. Les diría a las vecinas, de su petición en favor de la mujer sollozante, para que ellas también podrían rezar por ella, cada vez que pasaran frente a su ventana.

—Doña Emy, es una idea maravillosa— dijo doña Delfa, al servirle a su vecina un café. Le ayudaré a construir el altar—. Casi de inmediato las dos vecinas comenzaron a revolotear de actividad. Su misión estaba clara. Primero, pondrían dos mesas, una arriba de la otra, para que el Sagrado Corazón tuviera la altura adecuada.

The older woman looked up at the Sacred Heart Statue. "You better be listening. Here is someone who really needs you. You can't forget her," she thought as she squeezed the sobbing woman's shoulder.

"Thank you," the woman said. "Thank you for being here. I feel a little better. "Thank you," she said as she turned and walked slowly out of the chapel, wiping her hands up and down on her dress as if she could find comfort somewhere along her thighs.

As she walked home, the older woman obsessed about the Sacred Heart listening to the desperate woman. Lost in her thoughts, she turned the corner of her street when she realized she, herself, was part of the process. Hadn't she been there to listen? Now she had to do something more to make sure He continued to listen. What? How could she make sure? What could she do?

As she passed her front window, it suddenly occurred to her she could make her own altar of the Sacred Heart in her window. She would inform her neighbors, including Doña Delfa, next door, whom she knew was a great devotee of the Sacred Heart. She would tell the neighbors about her petition for the sobbing lady and they could pray for her too whenever they passed her window.

"Doña Emy, it's a wonderful idea." Doña Delfa said, as she served her neighbor a coffee "I'll help you construct the altar." Almost immediately, the two neighbors began fluttering with activity. Their mission was clear. First, they put two tables, one on top of the other so that the Sacred Heart would have the proper height.

La imagen misma, era de Doña Delfa. Había sido de su mamá. Aunque era sólo del cuarto del tamaño, del Sagrado Corazón en la capilla, los ojos eran tan directos como los de este, y las manos también estaban alzadas en un saludo amable y bondadoso. Antes de ponerlo en su lugar, cubrieron las mesas con el mejor mantel bordado de Doña Emy, y fabricaron guirnaldas de papel para colgarlas del techo. Globos blancos y rojos formaban el fondo. Compraron dos brazadas de lilas blancas en el Mercado. Las arreglaron con cuidado, en los floreros grandes de cristal, que lavó doña Emy en su cocinita. También decidieron usar animales de barro con semillas de chía que doña Delfa había guardado. En Oaxaca, por tradición, los animales de barro adornados con chía, se usan sólo durante la Semana Santa. Pero los desempacaron, los lavaron con cuidado y plantaron las semillas de chía que, cuando brotan, parecen pelo verde.

—Como lo vamos a poner hasta allá arriba?— preguntó doña Delfa, acariciando su imagen, reliquia de familia, y mirando con duda las mesas sobrepuestas, bajo el mantel almidonado.

—Tengo una escalera. No es una maravilla, pero creo que servirá. Voy a traerla—. Mientras Doña Emy traía su escalera, apareció un matrimonio norteamericano en la ventana y comenzaron a ojear la decoración.

—Oh Fred, mira, están preparando para un party— dijo la mujer delgadita bajo su visera de sol.

—Feeaysta— dijo Fred —feeaysta— es lo que llaman un party aquí. Probablemente, tendrán cuetes también. Estos mexicanos sí saben tener fiestas. Será muy bueno que el hotel no esté cerca. Podría continuar toda la noche.— Se tocó la cintura para asegurarse de que todavía estaba en su lugar, su monedero.

The statue itself was Doña Delfa's. It had belonged to her mother. Although only one-fourth the size of the Sacred Heart in the chapel, the eyes were as direct and the hands were raised in greeting. Before they put Him in place they covered the tables with Doña Emy's best embroidered tablecloth and made paper garlands to hang from the ceiling. Red and white balloons hung as a backdrop. They bought two armloads of white lillies at the market. They carefully arranged them in large crystal vases, which Doña Emy washed and dried in her tiny kitchen. They also decided to use the ceramic chia animals that Doña Delfa had stored away. In Oaxaca, by tradition, the little animals were only used during Lent. But they unpacked them, washed them carefully and planted the chia seeds which would then sprout on the animals creating the appearance of green fur.

"How are we going to put him up way up there?" asked Doña Delfa, cradling her prized heirloom statue and looking dubiously up at the stacked tables under the starched tablecloth.

"I have a ladder. It's not marvelous but I think it will work. I'll go get it." While Emy was bringing her ladder, an American couple appeared at the window and began ogling the decorations.

"Oh, look Fred, they're getting ready for a party," said the thin little woman from under her sun visor.

"Feeaysta," Fred said, "feeaysta, that's what they call a party here. They'll probably have fireworks too. These Mexicans know how to party. It's probably a good thing the hotel is not close by. It could go on all night." He tapped his middle to make sure, once again, his money belt was in its proper place.

73

En cuanto acababa Fred de tocar su cintura, Emy volvió con la escalera, decrepita y vieja, un poco parecida a su dueña. La atrincó contra las mesas y comenzó a subir con sus zapatillas perennes en los pies. Se inclinó para tomar el Sagrado Corazón de doña Delfa, que se lo entregó con mucha reserva.

—Ten cuid...— Antes de que doña Delfa pudiera continuar su admonición, la mesa de arriba comenzó a temblar, lo cual ocasionó que la escalera se inclinara hacia atrás, lentamente, y luego, volvió a inclinarse hacia adelante.

—Oh Fred, mira, oh no, se va a caer, se...—

Fred, su esposa y Doña Delfa, se quedaron parados mirando con asombro total, como el Sagrado Corazón salió de los brazos de doña Emy, hizo dos maromas completas en el aire, y vino a dar a los brazos extendidos de doña Emy, al momento que ella flotaba, delicadamente, hacia abajo, como gasa amarilla en una brisa. Terminó sentada sobre sus pompas, bien redondas, con las piernas extendidas y sus zapatillas en sus pies, frente a ella, como centuriones. Miró alrededor un poco confusa, y luego le dio a doña Delfa, el Sagrado Corazón. Se levantó con cuidado; se quitó el polvo de las pompis y fué a guardar la escalera. El matrimonio norteamericano se quedó atónito frente a la ventana.

Entonces decidió doña Emy, que estaba en su mejor interés y en el de la imagen, disminuir las alturas del Sagrado Corazón, quitando la mesa de arriba. Entonces, lo podría poner en su lugar, sin escaleras y sin milagros menores. Todavía estaría a plena vista para norteamericanos ambulantes y también, para que la vecindad continuara sus peticiones por la mujer sollozante.

Just as Fred finished his tapping, Emy returned with the ladder, decrepit and old, a bit like its owner. She leaned it against the tables and started up with her perennial house slippers on her feet. She leaned over to get the Sacred Heart statue from Doña Delfa, who handed it to her with great reservation.

"Be care..." Before Doña Delfa could continue her admonition, the top table started shaking, which caused the ladder to tilt backwards very slowly and then forward again.

"Oh Fred, look, oh no, she's going to fall, she..."

Fred, his wife and Doña Delfa stood and watched with utter amazement as the Sacred Heart left Doña Emy's arms, did two full summersaults in the air and came down to land in Doña Emy's outstretched arms as she wafted gently downward like yellow chiffon in a breeze. She ended up on her well-rounded fanny, legs straight and her slippers on her feet in front of her like centurions. She looked around a little bewildered, and then handed Doña Delfa the Sacred Heart. Methodically, she picked herself up, brushed her fanny and walked off to put the ladder away. The American couple stood dumbfounded in front of the window.

Emy then decided it was in her and the statue's best interests to diminish the loftiness of the Sacred Heart by removing the top table. She could then put Him in place without ladders and any further minor miracles. He was still in full view through the window for wandering Americans and for the neighborhood to continue their petitions on behalf of the sobbing lady.

Dos días después, Doña Emy fue corriendo, temprano, a buscar a su vecina. —Doña Delfa, doña Delfa, no lo va a creer. Las semillas de chía ya brotaron. Las sembramos hace sólo dos días y todos los chivitos están ya cubiertos de verde—.

—Es una seña muy buena. Él ya sabe que necesitamos ayuda inmediata— contestó doña Delfa. —No podemos tener a esa pobre mujer pensando que la vida no vale la pena. Ya tenemos la atención del Señor. Ya esta escuchando—.

—Jim, mira nomás—. Una mujer norteamericana, con impecables pantalones kaki y tenis Reebok nuevos, miró por la ventana de doña Emy. —Sí que creen en esmerarse con sus imágenes. Mira esto, lilas, mantel, globos, guirnaldas de papel, y hasta animalitos con pelo verde—. Levantó sus lentes oscuros a la frente para poder mirar mejor al Señor del Sagrado Corazón con todo su equipo litúrgico.

Two days later, Doña Emy went rushing next door in the early morning."Doña Delfa, Doña Delfa You won't believe it. The chia seeds are already sprouting. We just planted them two days ago and all the little goats are already covered with green."

"That's a very good sign. Now He knows we need help right away," replied Doña Delfa, "We can't have that poor woman thinking life isn't worth living. We've got His attention. He's listening."

"Jim, just look." An American woman in neat khaki slacks, with new Reeboks, stared through Doña Emy's front window. "They sure do believe in fussing with their statues. Look at that, lilies, tablecloth, balloons, paper garlands, even clay animals sprouting green fur." She pushed her sunglasses up on her forehead for a better look at the Sacred Heart and all His accoutrements.

JESÚS YA NO VIVE AQUI

Los lagartos bajo el sol de Nuevo México van corriendo como si sufrieran una pena primordial que se hizo genética. Recuerdo que corrían para esconderse, cuando se acercaba algo a su montón de piedras, cerca de la casa de Doña Marta. Las piedras eran todo lo que quedaba de algún proyecto sin acabar. Alguien en el pasado iba a construir algo ahí. No pudo haber sido ella. Era demasiado frágil y viejita. En realidad, nació viejita. O así me lo parecía a mí, en esos veranos cuando tenía yo siete, ocho y nueve años. Mi Abuela venía a visitarnos en la ciudad. Después la tenía para mí sola cuando regresábamos, juntas en el camión, a su pueblecito, donde todos sabían donde estaba todo y nada quedaba lejos.

Recuerdo que Doña Marta estuvo sola, todo el tiempo que vivió al lado de mi Abuela. Vivía en una casita de adobe con dos cuartos, una cocina y un cuarto para todo: dormir, comer, y estar. Tenía un loro verde que llevaba para afuera, en su jaula, todas las mañanas. Con ternura, colgaba la jaula de un clavo en un lado de la pared de adobe. El loro era su buen amigo. Se llamaba Chato. Mi Abuela decía que hablaba los dos idiomas, español y también inglés. A mí nunca me dijo nada. Sólo me miraba con la cabeza doblada a un lado. Hacía lo mismo con Doña Marta cuando ella le hablaba del pronóstico del clima para ese día, lo cual hacía, en cuanto levantaba la jaula hacia su clavo.

Había una percha para la ropa entre dos palos viejos. Siempre estaba ella colgando ropa, doblándose y alcanzándola dentro de una vieja canasta de mimbre. —Percudidas— repetía mascullando al colgar los trapos de los trastes y las sábanas en la percha. Eso quería decir que sus trapos

78

JESUS DOESN'T LIVE HERE ANYMORE

Lizards in the New Mexico sun. They scurry as if they suffered a primordial embarrassment that became genetic. I remember them running for cover when anything approached the pile of stones near Doña Marta's house. The stones were all that was left of some unfinished project. Someone in her past was going to build something. It couldn't have been she. She was too frail and old. She was born old. Or, so it seemed to me those summers when I was seven, eight and nine. Grandmother would visit us in the city. Then I had her all to myself as we rode back together on the bus to her tiny village where everyone knew where everything was and none of it was very far away.

Doña Marta was alone as long as I remembered her living in the house next to my grandmother's. She lived in a small adobe house with two rooms: a kitchen and an all-purpose sleeping, eating, being room. She had a green parrot, which she brought outside every morning in its cage. She would gently place the cage on a nail on the side of the adobe wall. He was her good friend. His name was Chato. Grandmother said he used to speak both Spanish and English. He never said anything to me. He just watched me with his head cocked to one side. He did the same with Doña Marta when she discussed the day's weather prognosis with him as she lifted the cage onto its hook.

There was a clothesline strung between two old wooden poles. She was forever hanging clothes, bending and reaching methodically into a frayed wicker basket. "Percudidas" she would mumble over and over again, as she hung dishtowels and sheets on the line. It meant her whites

sufrían de color gris, en vez de blanco y que necesitaban blanquearse al sol. Si venía de pronto una tempestad veraniega, salía corriendo, y quitaba su ropa de la percha, y también a Chato, para después regresar a su mundo dentro de sus paredes de adobe.

Yo me hacía fantasías sobre su vida solitaria en el pueblo. Era una bruja, que casaba a Hansels y Gretels Hispanos en su horno, cuando los pescaba. No. Era una curandera milagrosa, que podía calentar unos tes potentes para curar las rodillas dolientes de mi Abuela, o la tos persistente de mi tía, o mi dedo del pie, cuando perdí la uña porque me pegué recio contra una piedra. A veces era una sabia que pasaba las horas sola, estudiando a los ancianos, para decirnos lo que deberíamos hacer en cuanto a guerras, impuestos y políticos. Yo no entendía sus remedios, porque no siempre estaba segura de que entendía los problemas. Los entendía sólo el tanto que me dejaban escuchar de las conversaciones entre adultos, esos veranos en la casa de mi Abuela.

Me acuerdo un día en que me mandaron fuera, Doña Marta estaba sentada en una silla de madera de la cocina, al lado de su puerta de adelante. Yo necesitaba que se diera cuenta de mí. Shshsht. Shshsht. Le daba de palos al chamizo entre las dos casas. Iba a espantar a todos los lagartos debajo de las piedras, en montones de tierra, en hormigueros, en cualquier lado, mientras medio miraba yo a Doña Marta. Ella hacía algo con hilo en las manos.

—Ven— me llamó en voz baja. Parecía que ella sentía mi exilio.

—¿Tú, quieres crochet?— me preguntó casi con brusquedad. Y meneó la cabeza hacia su casa para que la siguiera.

Nunca había estado adentro de su casa. En la

had a bad case of the "grays" and they needed the bleaching of the sun. If a sudden summer storm came up, she ran out quickly removing the laundry and Chato, then retreating to her inner world of adobe walls.

I used to fantasize about her life alone in the village. She was a bruja, a witch who baked Hispanic Hansels and Gretels in her oven when she caught them. No, she was a miracle healer who could heat up potent teas to cure my grandmother's aching knees, my aunt's constant cough, or my sore toe where I had lost the nail when I stubbed it. Sometimes she was a sage who spent her hours alone studying the ancients to tell us what to do about war, taxes and politicians. I didn't know what her remedies were because I was never sure I understood the problems. I had as much grasp of them as the adult conversations I was allowed to overhear those summers at my grandmother's.

I remember one day when I was sent outside, Doña Marta was sitting in a wooden kitchen chair next to her front door. I needed to be noticed. Whshsht. Whstsht. With a stick I attacked the sagebrush between the two houses. I would scare all the lizards under rocks, in clumps, around ant piles, anywhere, while I kept half an eye on Doña Marta. She was doing something with thread in her hands.

"Ven, come," she called quietly. She seemed to sense my feeling of banishment.

"Tu, you want to crochet?" she asked, almost gruffly. She jerked her head toward the house for me to follow her.

I had never been inside her house. In the

81

esquina tenía una cama sencilla, tendida cuidadosamente con una manta de tapiz con flecos. Había dos almohadas, con bordados de margaritas color de rosa, en las fundas. Había fotografías viejas por todas partes. Amarillentas figuras de hombres con bigotes, o mujeres con vestidos de cuello alto y el pelo, muy liso, amarrado atrás y mirando de cara frente a la cámara, serios, sin asomo de sonrisas. En otra esquina había un escritorio muy usado, con estantes en un lado, detrás de una puerta de vidrio. Tenía más fotografías, cuidadas por perros de cerámica en miniatura, de varios tipos y tamaños. Ella fue a un buffet grande de roble y sacó una canasta de hilo de crochet.

— ¿Qué color quieres?—

—Color de rosa— contesté, casi demasiado de prisa. Naturalmente, creí que podía ser maestra de ese arte inmediatamente. Entonces, podría añadir otras margaritas a sus fundas de almohada, o aún, hacer unas para mí. Nos sentamos juntas un largo rato esa tarde. Doña Marta me enseñó con mucha paciencia lo intrincado del gancho de crochet. Trabajaba tan rápido los hilos que el gancho era varita de bruja que adquirió vida propia. Me miraba de vez en cuando con una sonrisa, porque yo estaba paralizada y con la boca abierta por el asombro. Me dejó intentarlo y mientras yo titubeaba, ella entró a la cocina para prepararnos un delicioso té de canela.

Todo estaba muy ordenado. Una cortina con flores azules, enormes, colgaba ante la puerta de la cocina. Atrapaba aromas en sus fibras, igual que una tira cerca de la ventana, atrapaba moscas en su espiral pegajoso. En otra esquina estaba su altar, una mesa de roble con un paño de adorno bien almidonado, como base para una imagen de yeso del Sagrado Corazón. Rosas rojas de seda en un florero grande de cristal, eran su tributo perenne al

corner, she had a single bed neatly made with a fringed tap-estry cover and two pillows at one end, each with brightly embroidered pink daisies. There were old pictures every-where. Yellowed figures of men with mustaches, or women with high-necked dresses and hair pulled back off their faces looking squarely at the camera without smiling. In a corner was a worn drop lid desk with shelves on one side behind a glass door. It had more pictures, guarded by miniature ce-ramic dogs of various breeds and sizes. She went to a large oak buffet and removed a basket of crochet yarn.

"What color would you like?"

"Pink," I answered too quickly. Of course, I thought I would master the art immediately. I could then add more daisies to her pillow cases or even, make my own. We sat together a long time that afternoon. Doña Marta patiently showed me the intricacies of the crochet hook. She worked the threads so quickly, the hook was a witch's wand with a life of its own. She would look up from time to time with a smile, because I stood riveted with my mouth open in amaze-ment. She let me try, and as I fumbled along, she went into the kitchen and fixed us delicious cinnamon tea.

Everything was very neat. A curtain with huge blue flowers hung in the doorway to the kitchen. It caught smells in its fibers much the way the fly strip near the window caught flies in its sticky spiral. In the corner was her altar, an oak table with a crisp white starched doily as a base for the plaster Sacred Heart of Jesus statue. Red silk roses in a large crystal vase were his perennial tribute,

lado de una velita encendida. Cuando yo trataba de trabajar con el gancho mágico, saliendo y entrando en los hilos color de rosa, sentía los ojos de la imagen, siguiendo mis movimientos.

La ventana del ático donde dormía yo, en la casa de mi Abuela, tenía la vista hacia una parte del cuarto de estar de Doña Marta. Ella rezaba frente a su altar, casi todas las tardes. La mayor parte del tiempo, yo me acostaba antes de que acabara de rezar. Parecía que sus oraciones eran interminables.

El verano de mis diez años, llegué a la casa de mi Abuela y vi un candado en la puerta delantera de Doña Marta. —Su ropa se quedó afuera, durante una lluvia— dijo mi Abuela. —Yo sabía que algo tenía que haber pasado. Parece ser que estaba rezando, arrodillada en frente de su altar. Se cayó al suelo y se murió con el rosario en la mano. No tenía a nadie. No había testamento. Ni sobrevivientes. Nadie.— Mi Abuela dijo esto en un susurro y apenas si alzó sus hombros. Eso quería decir que era la voluntad de Dios, en el idioma de mi Abuela.

Esa noche me pareció raro estar en mi cuarto del ático y ver por la ventana, que la casa de Doña Marta estaba obscura. Al día siguiente desperté con el sonido de voces en su puerta. Corrí a la ventana. Vi a mi Abuela, a mi tía y a la administradora de correos, la Señora Martínez, en la puerta delantera de la casa de Doña Marta. Estaban aserrando el candado con una sierra para metal. Las observé cuando entraron a la casa. Mi Abuela salió primero, cargando al Sagrado Corazón con su pañuelito de adorno y todo. Después, salió mi tía con la manta de tapiz con flecos, y nuestras fundas de almohada, con las margaritas tejidas a crochet. Después, salió la Señora Martínez, con la mesa del altar. Los Salazares, quienes

along with a small, lit votive candle. As I tried hard to work the magical hook in and out of the pink threads, I could almost feel the eyes of Jesus following my movements.

The window of the attic where I slept at my grandmother's overlooked a part of Doña Marta's living room. Doña Marta prayed before her altar every evening. Most of the time, I went to bed before she finished. Her prayers seemed endless.

The summer I was ten, I arrived at Grandmother's and saw a padlock on Doña Marta's front door. "Her clothes were on the line during a rainstorm," my grandmother said. "I knew something was wrong. It seems she was praying, kneeling in front of her altar. She fell over onto the floor and died with her rosary in her hand. She had no one. No will, no survivors. No one." My grandmother sighed and shrugged her shoulders ever so slightly. That meant God's will be done in grandmother language.

That night it was strange to look down from the attic room and see Doña Marta's house in darkness. The next day I awoke to the sound of voices at her door. I ran to the attic window. I could see my grandmother, my aunt and the postmistress, Mrs. Martinez, at Doña Marta's front door. They were sawing the padlock with a hacksaw. I watched as they entered the house. My grandmother came out first carrying the Sacred Heart of Jesus statue, doily and all. Next came my aunt with the tapestry bedcover and our daisy pillowcases. Next came Mrs. Martinez with the altar table. The Salazars, who

vivían al otro lado de Doña Marta, pronto se agregaron a la procesión. Se llevaron el estante con la puerta de vidrio y el escritorio. Los dos lucharon para meterlo por la puerta de delante de su propia casa. Pronto vinieron varios otros vecinos, para apropiarse de las posesiones de Doña Marta. En menos de dos horas la casa era otra, vacía y estéril. Hasta las fotografías amarillentas se fueron para otro lado. Los perros cerámicos de guardia, no pudieron evitar nada.

Han pasado veinte años. Ya no están ni mi tía ni mi Abuela. Ahí viven mis primos. Pero la casa de Doña Marta ha estado vacía todos estos años. El techo comienza a hundirse. Ya no está la puerta de adelante. Un palo de la percha de ropa, desolado, permanece en el jardín de atrás. El montón de piedras está en el mismo lugar. Los lagartos corren para cubrirse, en cuanto me acerco.

lived on the other side of Doña Marta, soon joined the procession. They took the bookcase with the glass door and drop lid desk. The two of them struggled to get it through the front door and into their house. Soon, several other neighbors joined in the appropriation of Doña Marta's belongings. In less than two hours the house was barren. Even the yellowed photographs ended up somewhere else. The ceramic guard dogs had not prevented any of it.

Twenty years have passed now. My grandmother and aunt have gone. Doña Marta's house has been vacant all these years. The roof has begun to cave in. The front door is gone. One old clothesline pole stands desolate in the back yard. The pile of stones is still in the same place. Lizards scurry for cover as I approach.

BUEN CORAZON

El anuncio decía:

> Un buen corazón busca una
> mujer atractiva, delgada,
> interesante, intrépida, de
> cualquier edad y
> nacionalidad.

Le pedí a Andrea que me lo leyera otra vez. Al terminar se quedó en silencio. Yo me preguntaba hacia donde miraban sus ojos, seguramente a cualquier lugar, menos a mí.

—Gracias, Andrea. Es todo por hoy. Ah, un minuto, ¿te molestaría limpiar la leche que volqué sobre la mesa? Es difícil darme cuenta de cuanto desorden he hecho, cuando no se puede ver. Todavía pienso por la noche, que me despertaré y podré ver otra vez. Pero no ha sucedido en doce años; ya es tiempo de enfocarme en algo factible—.

—Pues— dijo Andrea en voz baja —Yo creo que su forma de enfrentar la ceguera ha sido muy ingeniosa. Utiliza bien lo que tiene aquí en México. Yo soy una prueba—. Se rió pícaramente.

—Es cierto que lo eres— le contesté. —¿Que haría sin ti? Mantienes el orden en mi vida. Aseguras que se paguen las cuentas y que estén llenas las alacenas. Todo eso es muy necesario. Sin embargo, tengo que confesar, que lo que más me gusta son nuestras sesiones de lectura. Anhelo oír la conclusión de *El Almanaque de los Muertos*. Esa escritora joven, es una maravilla. A los ochenta y cinco años de edad, me siento como una niña de

KIND HEART

The ad read:

> Kind heart seeks attractive, slim, eclectic, adventurous lady - any age/ location.

I asked Andrea to read it to me again. She finished and was silent. I wondered where her eyes were, gazing somewhere, anywhere but not at me.

"Thank you, Andrea. I think that will be all for today. Oh, just a minute, would you mind wiping the milk I spilled on the table. Sometimes it's hard when I can't see how much mess I've made. Sometimes, at night, I think I'll wake in the morning and have my sight back. But since it hasn't happened now, in twelve years, perhaps I should focus on the more possible."

"Well" Andrea replied quietly, "I think you've been extremely resourceful faced with the reality of your blindness. You've used your assets well here in Mexico. I'm here as living proof." She laughed mischievously.

"You are indeed," I answered. "What would I do without you? You keep my life in order. You make sure the bills are paid and the cupboards are full. All of that is so necessary. I have to confess though that what I most enjoy are our reading sessions. You know, you have a voice that is warm and soft and full of resonance. I'm longing to hear you finish <u>Almanac of the Dead</u>. This young writer is wonderful. At eighty five years of age, I feel like the kindergartener

kinder, esperando el siguiente capítulo de la profesora.—
Andrea se volvió a reír y me acarició el hombro. —Nos
vemos mañana— dijo. Salió sin ruido. Yo sentía que el cuarto
se envolvía en el atardecer. Por las ventanas abiertas, se oían
los sonidos de los pájaros ya cada vez más leves. Las
campanillas de viento sonaban en el patio. Volví a pensar en
el anuncio.

—*mujer intrépida... de cualquier edad,
nacionalidad*—

Busqué el bastón a mí alrededor. Me levanté y fui a
mi escritorio. La silla estaba en su lugar. Me senté. No estaba
segura de lo que iba a hacer ahora. Mis manos se dirigieron
hacia la maquina de escribir. Tenía papel. De repente mis
dedos fueron llamados a la acción. Volaban sobre las teclas
y la carta se estructuró sola, en el aire fresco de la tarde.

Estimado Señor:

Tengo ochenta y cinco años de edad; estoy ciega, y
vivo en México. Vine a este país como enfermera desde
Suiza, hace cincuenta y cinco años. Un día, dos años
después de llegar, fui para atender a una noticia de
enfermedad, en un pueblo remoto de los Lacandones. Una
mujer estaba muriendo, después de dar a luz a un niño
terriblemente deforme. Los del pueblo querían que ella
viviera, hasta que se le pudiera hacer una limpieza a su
espíritu, para que el pueblo no quedara maldecido.

Todavía recuerdo el día, uno de esos agobiantes,
cuando la tierra parece respirar con peso. Después del
suceso, regresaba, a caballo, a través de la selva de
Chiapas. Yo pensaba en el parto, su labor, el dolor y en
este caso, el por qué de todo. De repente vi que se
acercaba un hombre,

waiting for the next installment from the teacher." Andrea laughed again and patted my shoulder. "I'll see you in the morning." She left quietly. I could feel dusk enveloping the room. The waning sounds of birds came through the open windows. The wind chimes sounded from the courtyard. My mind went back to the ad.

"...adventurous lady ...any age/location."

I felt around me for my cane. I got up and went to my writing desk. The chair was in its usual place. I sat down, not at all certain what I was going to do next. My hands made their way to the typewriter. I put paper in, and all at once my fingers were called to action. They were flying over the keys and the letter framed itself in the cool night air.

Dear Sir:

I'm 85 years old, blind, and live in Mexico. I came to this country as a nurse from Switzerland fifty-five years ago. One day, two years after my arrival, I was riding a horse in the jungle in Chiapas. I had responded to a sick call from a remote Lacandon Indian village. A woman was dying after giving birth to a terribly deformed child. The villagers wanted her to live long enough to cleanse her spirit. Then their village would not be hexed.

I still remember the day, one of those sultry days where the earth seems to breathe heavily. I was returning on horseback in the jungle, thinking about birthing, the labor, the pain and in this case, the why of it all. Suddenly I looked up and a man was approaching me,

también a caballo. Estaba como a quince metros de mí. Nos encontramos. Hablamos. Los dos supimos de inmediato que éramos el uno para el otro y nos casamos, poco tiempo después. Él era la oveja negra de una familia rica de Dinamarca. La familia, desesperada, lo había mandado fuera. Vivimos juntos en México durante cuarenta y ocho años. Aquí nos formamos juntos. Nos hicimos como los dos lados de una misma moneda. Lo quise profundamente, y él me amó a mí con gran ternura, hasta el día en que murió, aquí mismo, hace siete años. Era arqueólogo y amaba todo lo que era Precolombino en México.

Pasó la mayor parte de su vida en las selvas de Yucatán y Chiapas, buscando montículos cubiertos de vegetación, los cuales, al descubrirlos, le revelaran otro pedazo del rompecabezas. Yo iba con él al campo cuando era posible. Nunca tuvimos hijos y muchas veces nos quedamos meses enteros viviendo entre la gente. Adoptamos y patrocinamos a los niños de otros. Muchos, ya están crecidos, educados y vienen a visitarme. En un sitio arqueológico nuevo, seguíamos el consejo de la gente, porque el sitio formaba parte de sus vidas y de su territorio. En el proceso siento que me he hecho parte de esta gente y de esta tierra. Cuando visito los Estados Unidos, por ejemplo, me siento perdida y confundida por el paso frenético. Nunca pude acertar por qué se lleva un paso tan rápido ahí.

Su anuncio solicita una mujer *delgada, atractiva*. A veces me toco y quedo sorprendida. ¿Cómo se volvió mi cutis de papel? Se siente como masa transparente de strudel. Me imagino que se notan las venas azules en mi cara. Casi veo mi pelo blanco, y recuerdo, cuando tenia mucho era rubio y en cascada. Todavía está largo, pero hay mucho menos. Lo llevo arriba y retirado de la cara.

also on horseback. He was perhaps fifty feet away. We met. We spoke. We both knew almost immediately we wanted to be together. We married not long afterwards. He was the black sheep of a wealthy Danish family. The family sent him away in desperation. We lived together in Mexico forty-eight years. We grew up together here. We became like two sides of a coin. I loved him deeply and he loved me with great affection, until the day he died here seven years ago. He was an archaeologist and he loved everything Pre-Colombian.

He spent most of his life in the jungles of Yucatan and Chiapas looking for vegetation-covered mounds that, uncovered, would reveal another part of the puzzle. I joined him in the field as often as possible. We never had our own children, so we were sometimes away for months living with the natives. We adopted and sponsored other people's children. Many are now grown and educated and they come by to visit. At a new archeological site, we always followed the people's guidance because the site was part of their lives and their territory. In the process, I feel I have become a part of these people and this land. When I visited the States, for example, I felt lost and confused by the frantic pace. I could never ascertain why everyone there was moving so quickly.

Your ad asks for a *slim, attractive* lady. Sometimes I feel myself and I am surprised. How did my skin get so paper thin? It feels almost like transparent strudel dough. I suppose blue veins show on my face. I almost see my white hair and I can remember when it used to be thick, blond and flowing. It is still long but thinning. I try to wear it up and away from my face.

Cuando era joven fui a visitar a una tía anciana en Viena. Era parte de la aristocracia menor. La recuerdo sentada en la sala formal, rodeada por los cuadros de sus antepasados. Su pelo blanco lo llevaba en nudo como una corona y llevaba perlas al cuello. Como no puedo ver, no se si nos parecemos a esta edad.

Trato de sentarme recta y mirar al mundo con ternura. Ojalá esto se vea en mi cara. No me importan los antepasados. Todos parecían bastante ácidos. No he echado mucho de menos a mis parientes, probablemente porque tengo maravillosos amigos aquí. Todos mis amigos indígenas de los distintos pueblos, saben que mi casa está siempre abierta para ellos. Andrea, mi asistente, sirve el té a cualquier persona que venga alrededor de las tres de la tarde. Muchas veces los indígenas se mezclan con los extranjeros, de distintos países, que también le llaman su casa a esta ciudad. Algunos de nosotros, nos hemos conocido desde hace mucho tiempo.

¿*Delgada*? A veces siento que he perdido peso durante la noche. Mi cuerpo se siente pequeño y algo huesudo. Es como si nos preparáramos para irnos, ocupando menos espacio, porque al final, no ocupamos espacio ninguno. Sí que me gusta comer. Me gusta toda la comida de aquí, con todas esas salsas de mole y frutas y verduras maravillosas. Trato de no desesperarme porque he perdido mi vista, pero sí hecho de menos, el ir a los mercados para ver todos los colores. Mujeres fuertes en sus puestos de comestibles, mostrados como obras de arte en una galería. Estas mujeres tienen recursos para sobrevivir, que no podemos ni imaginar.

Usted menciona *ecléctica*. Yo soy ecléctica, porque he mezclado mi cultura con esta. Pero creo que en mí, México ha ganado. Para mí, Suiza queda muy lejos.

When I was young, I went to visit an old aunt in Vienna. She was a part of the minor aristocracy. I remember her sitting in a drawing room surrounded by portraits of her ancestors. Her white hair was swept up in a knot and she wore lovely pearls around her neck. Since I can't see, I don't really know if I resemble her at this age.

Nonetheless, I try to sit tall and look at the world warmly. I hope it shows on my face. I don't care about the ancestors. They all appeared quite dour. I never missed my relations much, probably because I have wonderful friends here. My Indian friends from the different villages all know that my house is open to them anytime. Andrea, my helper, serves tea here to anyone who comes by around 3 p.m. The villagers often mingle with ex-pats from different places on the planet who also call this place home. Some of us have known each other a long time.

Slim? Sometimes I feel I've lost pounds of me in the night. My body feels small and rather bony. It's as if we prepare for the end by taking up less space until, finally, we take up no space at all. I do love to eat. I love the food here with all the mole sauces and the wonderful fruits and vegetables. I try never to despair at the loss of my sight but I do miss going to the markets and seeing all the color. Strong women at their stalls with their edibles displayed like works of art in a gallery. These women have survival skills beyond our imagination.

You mention *eclectic*, if I am eclectic, it is only because I have blended my own culture with this one. But, I do think Mexico has won. For me, Switzerland is very far away.

Ya he escrito mucho hasta aquí, sobre edad y nacionalidad. Así, creo que he atendido a todo lo que usted solicita en su anuncio. En cuanto a un *buen corazón*, pienso que tuviera usted que verlo por su cuenta. Sería una presumida si le dijera más. Le diré a Andrea que le mande esta respuesta por la mañana. Anticipo su contestación.

Sinceramente.

Berthe Zahner

I have already written a great deal here about age and location. Therefore, I believe I have addressed all of the queries in your ad. As to a kind heart, I believe you'd have to see that for yourself. It would be presumptuous of me to say more. I will have Andrea mail this response to you in the morning. I look forward to your reply.

My best wishes,

Berthe Zahner

EL CAMIÓN DE LOS HELADOS

Llovía verdaderamente a cántaros, cuando salimos. El sol de Nuevo México apenas caía, como en un bolsillo, sobre las montañas que rodeaban el pueblecito. Mi mamá y mi papá se protegían bajo el techo del portal, sonriendo, saludando y llorando, todo a la vez. Vi que papá se sonó la nariz en su pañuelo; tenía los ojos llenos de lágrimas. Ya conocía su disfraz. El pañuelo le cubría convenientemente la cara, cuando se le llenaban los ojos de lágrimas. Yo sólo vivía a cuatro horas de distancia, pero se hubiera pensado que estaba cruzando el mar, cada vez que me iba. Antes de bajar del portal, el rito de la bendición era parte de su adiós. Hacía que me hincara frente a él y luego hacía la señal de la cruz sobre mi cabeza. Todavía recuerdo como sentía el calor de su mano, cuando la descansaba unos segundos sobre mi cabeza. Ahora sé que era su corriente de energía, la que venia sobre mí.

La casa de mi niñez nunca cambió. Quizá la pintaban; agregaban un techo nuevo, algunas plantas a lo largo del muro. Pero cuando uno daba la vuelta, esa casa de adobe, con el muro de piedra, era como un faro contra las tempestades de la vida. La primera vez que me fui, tenía nueve años. Estuve fuera una semana. Recuerdo que cuando dimos la vuelta y vi la casa, quería brincar del coche y abrazarla, estirar mis brazos como la muchacha de hule, y abrazarla completa.

Había ido a Denver y me quedé con mi tía Lucía y mi prima, Ana María, que tenía diez años. Siendo de la ciudad y un año mayor, Ana María, para mí, era un pilar de sabiduría. Vivían en una barriada, pero entonces no me daba cuenta. Para mí, era un mundo caleidoscópico de

THE ICE CREAM TRUCK

The rain came down in sheets as we drove away. The New Mexico sun was just lowering itself into its pocket in the mountains that surrounded the tiny village. My mother and dad stood under cover on the porch, waving and smiling and crying all at the same time. I saw dad blowing his nose into his handkerchief. By now, I knew his cover. The handkerchief conveniently hid his face when his eyes filled with tears. I only lived four hours away but you'd think I was doing an ocean crossing each time I left. Before I stepped off the porch, the Bendición, or blessing ritual was always part of his goodbye. He would have me kneel in front of him and then make the sign of the cross over the top of my head. I still remember how warm his hand felt when he would rest his palm on my head for a few seconds. Now I know it was his energy flow coming through to me.

My childhood home never changed. Maybe, a new coat of paint, a new roof, some plantings out along the wall. But when you turned the corner, the neat adobe house with the stone wall was like a beacon from life storms. The first time I went away, I was nine years old. I was gone a week. I remember when we turned the corner and I saw the house, I wanted to jump out of the car and hug it, just stretch my arms like rubber girl and hug all of it.

I had gone to Denver and stayed with my Aunt Lucy and my cousin Annamarie, who was ten. Being from the big city and a year older, Annamarie was a pillar of knowledge. They lived in the barrio but I didn't realize it then. To me, it was a kaleidoscope world of

posibilidades. El parque quedaba a una cuadra y podíamos ir caminando a una tienda y comprar dulces. Su cercanía me parecía tremendamente conveniente. Era el punto de vista de una niña de pueblo. Esta visita también fue mi introducción al pan rebanado. Mi mamá todos los días hacía tortillas frescas de harina; las comíamos calientes, tomadas del comal, con mantequilla. Eran de lo mejor. Pero esto del pan rebanado, era un fenómeno curioso para mí. Sentía que comer estas cosas, de alguna manera colocaba a Ana María y a mi tía Lucía, en otro rango de la escala social. Decidí que ellas estaban más altas, o, por lo menos, que eran más progresistas. Cuando descubrí las papas fritas en esta misma visita, quedé convencida de que mi tía Lucía y su familia, estaban definitivamente muy avanzados.

También, había el camión de los helados, que tocaba música cuando se deslizaba a tu puerta y tú podías escoger tu propia exquisitez especial, helada. Al principio, quería yo meditar lentamente sobre el menú escrito al lado del camión. Quería imaginar cada una de esas exquisiteces: conos de nieve, paletas de leche, paletas de sabores; cada una derritiéndose lentamente y desahogándose, amorosamente en mi vida. Pero pronto descubrí que el camión de helados tenía que continuar su camino y se requerían decisiones rápidas. Me sorprendí cuando descubrí que el chofer, el proveedor de todas esas maravillas comestibles, era un refunfuñón, si no te decidías rápidamente. Esa imagen era incongruente con el hecho de que su camión, contenía las fantasías heladas más maravillosas del mundo. La música se convirtió para siempre, en un símbolo de bienestar.

Un día, mi tía Lucía nos hizo tortas de pan rebanado con jamón y nos llevó a Elitches, un parque de

possibilities. A park was a block away and we could walk to a store and buy candy. That seemed terribly convenient to a kid from a small village in New Mexico. Also, it was my introduction to sliced bread. My mom always made fresh flour tortillas and hot off the griddle, with butter, they were the best. But this sliced bread was a curious phenomenon for me. I felt it somehow placed Aunt Lucy and Annamarie on a different rung of the social ladder. I decided they were higher up or, at least, more modern. When I discovered potato chips on this same visit, I was convinced Aunt Lucy and her family were definitely very progressive.

Then there was the ice cream truck that played music as it glided up to your door and you could choose your own special frozen delicacy. At first, I wanted to ponder slowly, the whole menu written on the side of the truck. I wanted to imagine each of those delicacies, snow cones, milk nickels, popsicles, each of them melting slowly and easing their way lovingly into my life. But I soon realized the ice cream truck had to keep moving and decisions were called for. I was surprised that the driver, the purveyor of these edible wonders, was a har-umph grouch if you didn't make up your mind quickly. That image was inconsistent with the fact that his truck contained the world's most wonderful frozen fantasies. Its music became a feel good symbol forever.

One day Aunt Lucy made us sliced bread and ham sandwiches and packed us off to Elitches, the amuse-ment park

atracciones, donde podías ver la montaña rusa desde dos cuadras antes. Yo tenía cinco dólares para gastar. Recuerdo que Ana María, a pesar de ser progresista, no tenía más que tres. Entramos al parque y me quedé mirando como Alicia en el país de las maravillas, fascinada por las posibilidades. El carrusel sonaba como el camión de los helados y su música se mezclaba con los sonidos de wooosht y las campanas del salón de juegos. Mi tía Lucía nos esperó pacientemente afuera. Ana María me llevó a su máquina favorita. Era la máquina de las estrellas de cine. Por diez centavos, podías recibir un retrato de tamaño tarjeta postal de algún artista de cine con su "autógrafo". No nomás firmaban su nombre. Incluían un deseo para tu bienestar como, "Todo lo bueno: Roy Rogers" o "Mucha Felicidad: Ava Gardner". No hubieran dicho "Que tengas un buen día" porque en esa época, no se saludaba especificando tanto el tiempo. Yo escogí veinte de mis artistas favoritos y al costo de dos dólares de mi presupuesto, me procuré sus buenos deseos para mi bienestar, fabricados en serie. Todavía tengo hoy, una foto de las dos, Ana María y yo, sentadas bajo un árbol en flor, en el jardín de atrás, sorteando nuestros tesoros de postales de artistas. Recuerdo que también nos fotografiamos con nuestras cabezas juntas y centellando nuestras mejores sonrisas al estilo artista. Esas se perdieron en el cabello de los ángeles del tiempo.

Cuando volví a casa, habían grandes noticias para la familia. Íbamos a mudarnos a Arizona, donde le habían ofrecido empleo a mi papá como supervisor en una mina. No, no íbamos a vender la casa. Nos mudaríamos a tiempo para el nuevo año escolar. El resto del verano se pasó decidiendo qué llevar, y luego empacando. Las postales de los artistas, seguro.

where you could see the white Roller Coaster two blocks away. I had five dollars to spend. I remember I had to share because Annamarie, despite progressiveness, only had three. We entered the gates and I looked around like the cluck, cluck kid, fascinated by the possibilities. The merry-go-round music sounded like the ice cream truck and its music was interspersed with whoosht sounds and bells from the arcade where Aunt Lucy waited for us patiently outside. Annamarie led me to her favorite machine. It was the movie star machine. For ten cents you could get an "autographed" post card of a movie star. They didn't just sign it with their name. It included a wish for your well being, like "All the best, Roy Rogers" or "Much Happiness, Ava Gardner." It wouldn't have said "Have a nice day." We didn't greet with that specificity then. I picked out twenty of my favorite movie stars and two dollars of my budget procured their mass produced best wishes for my existence. I still have a photo of Annamarie and me under the snowball bush in the back yard sorting our treasured movie star postcards. I remember we also posed for pictures with our heads tilted at angles and flashing our best smiles in the movie star way. Those got lost somewhere in the angel hair of time.

When I returned home, there was big news for the family. We were moving to Arizona where dad was offered a job as a foreman in a mine. No, we wouldn't sell the house. We would move in time for the new school year. The rest of that summer was spent deciding what to take and then packing. The movie star postcards for sure.

—Mamá, ¿tú crees que habrán camiones de helados?—. Las simples palabras traían visiones danzantes de las exquisiteces.

Mi mamá miró hacia arriba, distraída del empacar.

—Sí, mi hijita, tienen camiones de helados dondequiera—.

—No es verdad. No los tenemos aquí— Le contesté con mi voz más tenue.

—Pues, nunca se sabe, nunca se sabe— sonrió mi mamá al mirarme y luego continuó empacando.

Fue un año completo el que pasó antes de que regresáramos a la casa. Un año en la escuela nueva, donde todo era diferente. Cuando estábamos comiendo, decía mi papá: —Acaben su comida. Si acaban su cena, las llevo a Jaroso cuando regresemos a casa—.

— ¿Donde está Jaroso, papá?—

— ¿Jaroso? Pues es un pueblecito cerca de nosotros, en Nuevo México y ahí las voy a llevar, cuando regresemos, porque se han acabado toda su comida—.

Desde entonces, Jaroso empezó a adquirir en mi mente, semblanzas de Elitches. Quizás una montaña rusa. No, era muy pequeño. Quizás un carrusel. Por lo menos, camiones de helados, mmmmh... visiones de paletas de sabores, de leche, de chocolate, se juntaban a los lados, como monas de papel, zigzagueando con música en mi mente. Además, mamá había dicho: —nunca se sabe—.

Ese verano cuando llegamos de Arizona a la casa, mi mamá estaba ocupada desempacando. Mi hermana y yo nos perseguíamos por toda la casa, escondiéndonos en nuestros lugares favoritos, encantadas de estar otra vez en casa.

—Niñas, niñas, dejen de correr. Tengo una idea.

"Mom, do you think they'll have ice cream trucks?" Just the words conjured dancing visions of the delicacies.

My mother looked up distracted from her packing. "Si, mi hijita, they have ice cream trucks everywhere."

"No they don't. We don't have any here." I answered in my most deprived voice.

"You never know, you never know," Mom smiled as she looked at me and then continued packing.

It was a whole year before we got back to the house. A year spent in a new school where everything was different. We would be having dinner and Dad would say: "Eat your food. If you finish all your dinner, I'll take you to Jaroso, when we go back home."

"What's Jaroso, dad?"

"Jaroso? Well, it's a little town near us in New Mexico and that's where I'm going to take you when we go back because you will have been such good eaters."

From then on in my mind, Jaroso began to acquire the trappings of Elitches. Maybe a roller coaster. No, it was too little. Maybe a merry-go-round? At least ice cream trucks, mmmm... visions of popsicles, milknickles and fudgesicles joined at the sides, like paper dolls, zigzagging musically across my mind. Plus, Mom had said, "You never know..."

That summer when we arrived home from Arizona, mom was now busy unpacking. My sister and I were chasing each other around the house, hiding in our favorite spots, delighted to be home again.

"Girls, girls, stop the running. I have an idea.

Porque no salen afuera, siéntense en el muro para esperar el camión de los helados—.

—No hay camión de helados aquí— dijo mi hermana, Toni, sin duda ni vacilación. Era dos años mayor que yo y aún más sabia que Ana María.

—Yo no se— le contesté. —Mamá dijo que nunca se sabe—. De alguna manera, yo no podía hablar con certeza. Tenía que existir un rinconcito de posibilidad. Sencillamente, no podía rendirme al "nunca" de un camión de helados. Salí a la pared y me senté en la sombra, sobre el muro. Pronto salió Toni a acompañarme y nos quedamos ahí, probablemente dos horas, esperando al camión de helados que nunca llegó. Hablamos de muchas cosas y de vez en cuando pesaba el silencio, al mirar la carretera, buscando la aparición que no llegó.

Esa noche papá anunció que íbamos a Jaroso. Nos subimos todos al coche y fuimos muchos kilómetros, por un camino polvoso de grava. Parecía no tener fin. Finalmente, vi unas cuantas casas y una señal: *Bienvenido a Jaroso.* Al acercarnos a las casas, el camino polvoso se dividía con grandísimos pinos en el medio. ¡¡Un boulevard!! Había un boulevard en Jaroso. Quizá, tan sólo quizá, sí tenían camiones de helados en Jaroso.

En eso, pasamos la tienda general abandonada. Todavía estaban las viejas cortinas, hechas garras en las ventanas. Al lado estaba la Casa de Correos. Tenía una banca, cerca de la puerta, que clamaba por pintura y le faltaban algunas tablas del asiento. Cerca había una maceta vieja, con Maravillas y Pensamientos purpúreos. Un hombre salió de la Casa de Correos y se sentó en la banca, para sortear su correo. Enfrente, había una señal triangular antigua de Conoco, sujeta a una bomba de petróleo vacía y pasada de moda. Miré alrededor sin

Why don't you go outside, sit on the wall and wait for the ice cream truck."

"There's no ice cream truck here," my sister Toni said without doubt or hesitation. She was two years older and even wiser than Annamarie.

"I don't know," I answered. "Mom said you never know." I somehow knew I couldn't speak with certainty. There had to be a corner of possibility. I simply couldn't give in to the never of an ice cream truck. I went out to the wall and sat in the shade on the wall. Soon Toni joined me and we probably sat there two hours waiting for the ice cream truck that never came by. We talked about a lot of things and every once in awhile, the silence was heavy as we scanned the road for an apparition which never happened.

That evening dad announced we were going to Jaroso. We all got in the car and drove on a dusty gravel road for miles. It seemed endless. Finally, I saw a few houses and a sign: Welcome to Jaroso. As we approached the houses, I saw the dirt road was divided with huge ponderosa pine trees down the middle. A boulevard! They had a boulevard in Jaroso. Maybe, just maybe they had ice cream trucks.

About that time, we passed the abandoned general store. It still had old frayed curtains in the windows. Next to it was the post office. It had a bench next to the door badly in need of paint and missing some of the seat slats. A weathered wooden tub nearby, held marigolds and purple pansies. A man walked out of the post office and sat down on the bench to sort his mail. In front was an antique triangular Conoco sign attached to an empty, old fashioned gas pump. I looked around, not

perderme ni un triste detalle. Sombríamente, decidí olvidarme de camiones de helados. Cerré los ojos y me dejé resbalar hacia abajo en el asiento de atrás. Papá me miró por el espejo retrovisor. Yo le quería preguntar; pero sabía que no tendría respuesta: ¿Y para esto, me acabé todas mis comidas?

missing one forlorn detail. Glumly, I decided to forget about ice cream trucks. I closed my eyes and let myself slither down into the back seat of the car. Dad looked at me in the rear view mirror. I wanted to ask, but he might not have an answer. For this, I finished all my suppers?

LA GRAN GUERRA DE LOS TAMALES

Mi copia del libro de recetas de mi mamá está tan usado como mi libro favorito de oraciones. Hace veinte años lo escribió a mano, con cuidado, y se lo regaló a la familia y a nuestros mejores amigos, como un regalo de navidad. —Es lo que sé hacer mejor. Es la única manera en la que podría ganarme, la vida si tu padre se cansara de mí,— me dijo una vez con una sonrisa de coqueta.—Como sabes, las mamás nunca ganan mucho dinero,—continuó —aunque el empleo sigue. Hay veces que no sabes si lo has hecho bien, hasta que tus hijos tengan cuarenta y cinco años. Pero el guisar es distinto. Sabes si lo has hecho bien, en cuanto se acaba la comida. No sobra nada y ver a todos sonrientes, indica que has hecho tu trabajo—.

En Oaxaca, cuando mi mamá estaba creciendo, y aún hoy en día, una cocinera excepcional lleva su comida a las calles y la vende si necesita dinero. Hay las taqueras, y algunas se especializan en tacos al pastor, de carne, rostizada lentamente en un asador. Hay las tlayuderas, cuyas grandes tortillas crujientes, llevan deliciosos frijoles negros, queso, cebolla, tomate y cilantro. Y hay las tamaleras. La parte de la ciudad que era de las tamaleras, era la calle de Guerrero, a unas seis cuadras del Zócalo. Las mujeres de estas calles vivían detrás de paredes de adobe, con techos de lámina, haciendo tamales toda la mañana, para sus ventas de la tarde o de la noche. La mayoría de estas casas ya no existen. La fábrica de agua purificada compró varias y las destruyó para construir su planta. Nuevas casas reemplazaron a las otras. Las tamaleras se dispersaron.

Solo quedan dos. Doña Mari, una de las más famosas tamaleras de Oaxaca, se jubiló, pero no antes de

THE GREAT TAMALE WAR

My copy of mother's cookbook is worn like a favorite prayer book. Twenty years ago, she had carefully written it longhand, copied it and given it to family and friends as a Christmas present. "It's what I know best. It's the only way I might make a living if your father ever tired of me," she told me once as she smiled coyly. "As you know mothers don't ever make much money," she continued, "even though that job just keeps going. Sometimes you don't know if you've succeeded until your children are forty five. But cooking is different. You know you've done it well as soon as the meal is finished. No leftovers and everyone smiling means you've done your job," she concluded.

In Oaxaca, when my mother was growing up, and even today, an exceptional cook takes her cooking to the streets and sells it if she needs money. They specialize, too. There are taco ladies, and some of them specialize in tacos al pastor, tacos with pork roasted slowly on a spit. There are tlayuda ladies whose large crisp tortillas have good black beans, cheese, onions, tomatoes and coriander. Then there are the tamale ladies. The tamale part of town used to be Guerrero Street, about six blocks from the Zócalo or main square. Many women from this street lived behind adobe walls with tin roofs, making tamales all morning for their afternoon and evening sales. Most of those houses are gone. The purified water company bought several and tore them down to build their plant. New and fancier houses replaced the others. The tamale ladies scattered.

There are only two left. Doña Mari, one of the most famous tamale makers of Oaxaca, retired but not before

enseñarle a su nieta, Isabel, el arte de hacer tamales. Doña Mari todavía vive en la calle de Guerrero. Ella te dirá: —He vivido tanto tiempo en esta casa, que aquí está enterrado mi ombligo—. Isabel vive con su abuela y trabaja en la compañía de teléfonos durante la semana. Los sábados hace tamales todo el día, bajo el escrutinio de su abuela. Los domingos, como a las ocho, Isabel saca su enorme bote de tamales. Para las diez, la cola de gente da la vuelta a la esquina. Para el mediodía, ya se ha vendido todo.

La gente viene de toda la ciudad, para comprar los tamales de la heredera. Si Doña Mari se asoma por la puerta, para preguntarle a Isabel algo, las personas que esperan, aplauden, espontáneamente, al ver a una de las grandes tamaleras de todas las épocas. Doña Mari se sonríe, inclina su cabeza un poco y les saluda, diciendo: —Que les vaya bien—. A Isabel le dice bruscamente, —Cubre ese bote. Si sólo vendes tamales los domingos, tienen que estar bien calentitos—.

La otra tamalera de Guerrero es de tiempo completo. La casa de doña Clara fué desplazada por la fábrica de agua. Lo único que le queda para vender tamales, es la esquina de la acera enfrente del banco, que se cierra a las cuatro de la tarde. Pero ella es tan fiel como las campanas de la catedral. Todos los días, excepto los domingos, ella está en su esquina, lista con su negocio para las cinco. Vive a veinte minutos. Llegar a su trabajo era problemático, llevando en camión su gran bote de tamales de cuarenta litros. Utilizar taxi se comía mucho de sus ganancias. Así que Poncho, su nieto, vino a rescatarla. Él trabaja en una tienda de bicicletas, cerca de la casa de doña Clara.

—No se preocupe, Abuelita, usaré mi hora de comer para llevarla en la bicicleta— le ofreció, un día,

she instructed her granddaughter, Isabel, in the art of tamale making. Doña Mari still lives on Guerrero Street. She will tell you, "I've lived in this house so long, my belly button is buried here. Isabel lives with her grandmother and works at the telephone company during the week. On Saturdays, she makes tamales all day under her grandmother's scrutiny. On Sundays, Isabel sets up her huge tamale pots outside the door of the house. Sales are brisk. A line begins to form for Isabel's tamales about eight in the morning. At ten, the line often goes around the corner. By noon she's sold out.

People come from all over the city for Doña Mari's Sunday successor. If she pokes her head out the door to ask Isabel a question, people usually applaud spontaneously at the sight of one of the great tamale makers of all time. Doña Mari smiles, bows her head slightly and waves, saying "Que les vaya bien. May it go well with you." To Isabel, she'll say briskly, "Cover that pot. If you're only selling tamales on Sunday, they need to be good and hot."

The other tamale lady on Guerrero street is full time. Doña Clara's house was displaced by the water plant. All she has left for tamale sales is the corner on the sidewalk in front of the bank that closes at 4 p.m. But she is as faithful as the cathedral bells. Everyday except Sunday, she is at her corner ready for business by 5 p.m. She lives twenty minutes away. Getting to her work was problematic, carrying her ten-gallon tamale pot on the bus. Taxis ate too deeply into the profits. Poncho, her grandson came to the rescue. He works at a bicycle shop close to Doña Clara's house.

"Don't worry, Abuelita, I'll use my dinner hour and take you on the bicycle," he offered, one day,

abrazándole los hombros.

— ¿En la bicicleta? Ay, no, mi hijito no puedes llevarme a mí y mi bote de tamales en la bicicleta. Dejaríamos un reguero de tamales por todo el camino a Guerrero—.

—No, Abuelita, ¿no recuerda que todavía tengo la bici de tres ruedas con la rejilla adelante? La que usaba cuando cargaba agua. Abuelita, usted y sus botes de tamales, con su banquito, alcanzan a caber. La llevaré hasta su esquina y luego, regresaré al trabajo. Por la noche, termino de trabajar cuando usted está lista para venirse a la casa y yo iré a recogerla—.

—Y cuando, exactamente, dime ¿tendrás tiempo para comer?— le preguntó poniendo sus manos en las caderas. —Tú necesitas descansar cuando terminas tu trabajo y necesitas comer bien, para que estés sano—.

—No se preocupe, me como una comida grande y luego un par de sus tamales me valdrán, hasta que termine. Si tuviera yo manera, usted no necesitaría trabajar. Me gustaría tener a mi Abuelita nomás tomando el sol y mirando a la gente, en una de las bancas del Zócalo. Ya usted ha trabajado lo bastante para dos vidas—.

—No hay de otra, mi hijito— le sonrió ella pensativa. —Pues, estoy contenta de que quieras ayudarme y sí, creo que es probable que podamos manejarnos con la bicicleta de rejilla. Sé que trajiste mi estufa aquí, en esa bicicleta. Creo que cabemos muy bien mi banquito, mi bote de tamales y yo—.

—Abuelita, la parte de adelante se baja como una reja, y usted podrá dar un solo paso para bajar. Mañana vengo por usted a las 4:30. Tenga unos tamales apartados para mí—. Poncho abrazó a Doña Clara y se fue.

hugging his grandmother's shoulders.

"On the bicycle? Oh, no, mi hijito, I can't take myself and the tamale pot on a bicycle. We'd have tamale droppings all the way to Guerrero Street."

"No, Abuelita, don't you remember I still have the three wheel bicycle with the big rack on the front. The one I used when I delivered water. Abuelita, you, your tamale pot, and your stool will just fit. I'll deliver you to your corner and then I'll go back to work. At night, I'm through working when you're ready to come home. I'll come and pick you up."

"And just when are you going to have time to eat?" she said, putting her hands on her hips. "You need to rest when you get off work and you need to eat a good meal to carry you through the evening."

"Don't worry, I eat a big lunch and then a couple of your tamales will get me through until I finish. If I had my way, you wouldn't need to work. I would like to have my little Abuelita just taking in the sun and watching the people at the Zócalo on one of the benches. You've already worked enough for two lifetimes."

"There's no other way, mi hijito," she smiled wistfully. "I'm just happy that you are willing to help me and yes, I think we probably can manage on the bicycle with the rack. I know you brought my stove here on it. I guess my stool, my tamale pot and I would fit fine."

"The front part drops down like a gate and you could just step on and off. I'll come by tomorrow at 4:30. Have a couple of tamales set aside for me." Poncho hugged Doña Clara and was gone.

Por seis meses, Poncho ha sido el servicio leal de entrega para su Abuela, camino a Guerrero. Otras veces, por la noche, cuando la está esperando a que haga sus últimas ventas, se sienta en el pórtico del banco, pone la cara en sus brazos sobre las rodillas y toma una siesta. Después le ayuda a empacar. Cargan el banquito y el bote de tamales. Ponen la tapa del bote al revés y le ponen su cojín del banquito. Ella salta a bordo, poniéndose un rebozo en la cabeza y los hombros, contra el aire fresco de la noche. Toma su asiento en la bicicleta y ahí van, Poncho, con diligencia, dándole a los pedales hacia la casa.

Hace como tres semanas, Poncho llegó, como de costumbre y su abuela estaba preparando una maleta. Sorprendido, preguntó: —¿Que pasa, Abuelita?—

—Esta mañana recibí un recado, hijito. Tu Tía Margarita está en el hospital en México. La llevaron anoche, con fuertes dolores de estómago. Tengo que ir a verla. Compré el boleto para el camión de esta noche. Tendré que quedarme con ella hasta que se sienta mejor. Nadie más puede ir. Todos tienen su familia; los niños en la escuela. Soy la única que puede hacerlo y me necesita—.

El jueves pasado, Isabel, la tamalera de los domingos, iba a su casa sobre la calle de Guerrero y vio que la esquina estaba vacía. Doña Clara y sus tamales no estaban.

—Quizá se murió— pensó Isabel. —No, hubiéramos oído. Quizás hizo tanto dinero que se jubiló. No. Quién sabe. Que raro que no está en su esquina—.

El viernes, Isabel pasó por la esquina, con los hombros hundidos, como niña abandonada. Ese día le habían dicho en la compañía de teléfonos, que una

For six months, Poncho has been the faithful delivery service for his grandmother. Sometimes at night when he's waiting for her to make her last sales, he sits on the bank stoop, puts his face on his arms and naps. Then he helps her pack up. They load her stool and the tamale pot. She turns the lid upside down, and covers it with her stool cushion. She hops on board, wrapping a shawl around her head and shoulders against the cool night air. She takes her seat on the tamale pot and away they go with Poncho pedaling diligently toward home.

About three weeks ago, Poncho showed up as usual and his grandmother was packing a suitcase. Surprised, he asked, "What's happening, Abuelita?"

"I got a message this morning, hijito. Your Tía Margarita is in the hospital in Mexico City. They took her last night with bad pains in her stomach. I have to go and see her. I bought a ticket for the night bus. I will just have to stay with her until she is better. No one else can go. Everyone has their families, children in school. I'm the only one and she needs us."

Last Thursday, Isabel, the Sunday tamale lady, was walking home on Guerrero and saw that the corner was empty. Doña Clara and her tamales were not there.

"Maybe she died," Isabel thought. "No, we would have heard. Maybe, she made so much money, she retired. No. Who knows? It's just strange she's not at her corner."

On Friday, Isabel walked past the corner with shoulders bent like an abandoned child. That day they told her at the telephone company that a

computadora grande, iba a reemplazarla a ella y a otros treinta trabajadores. Cuando llegó a su casa, le dio las noticias a su abuela. Doña Mari estaba furiosa con la compañía de teléfonos.

—¿Cómo te pueden hacer esto?— gritó, gesticulando hacia la pobre Isabel, que nomás se quedaba sentada, mirando una mancha en el piso de mosáico.

—Entonces Isabel miró hacia arriba y comenzó a hablar despacio: —¿Sabe? Doña Clara ya no está vendiendo tamales por la noche en la calle. Pudiera tomar su puesto y vender los tamales de tiempo completo—.

—Pero, mi hijita— contestó Doña Mari, —tú sabes que doña Clara ha tenido ese puesto por veinte años. No puedes quitárselo así nomás—

—Pues tiene razón— dijo Isabel —Vamos a observar y si no llega para el martes próximo, entonces pongo mi puesto—.

El lunes por la noche, Doña Clara regresó de México. La recuperación de su hija, había tardado más de lo que esperaba. El martes por la mañana, se levantó bien temprano, para hacer sus tamales de esa noche. Poncho vino con la bicicleta y para las 4:45, ella, su bote de tamales y su banquito habían sido llevados a su esquina. Al llegar, vieron a Isabel poniendo su banquito y su bote de tamales.

— ¿Y?— fue todo lo que doña Clara le preguntó a Isabel, con sus manos en las caderas y sus piernas separadas. Sus largas trenzas color gris captaban el sol en cuanto se paró, esperando una respuesta. Su delantal blanco, era como un escudo almidonado, listo para la batalla.

—Doña Clara— comenzó Isabel, hablando con lenta deliberación —nosotras pensamos que usted había

large computer was going to replace her and about thirty other workers. When she got home, she told her grandmother. Doña Mari was furious with the phone company.

"How could they do this to you?" She shouted, gesturing toward poor Isabel who just sat quietly staring at a spot on the tile floor.

Than Isabel looked up and began slowly, "You know, Doña Clara isn't selling tamales at night up the street anymore. I could take her spot and sell tamales full time."

"But, mi hijita, answered Doña Mari, "you know Doña Clara has had that spot for twenty years. You can't just take her spot."

"Well, you're right," Isabel said, "We'll keep an eye on it and if she doesn't show up by next Tuesday, then I'll set up shop."

On Monday night, Doña Clara came back from Mexico City. Her daughter's recovery had taken longer than she expected. Tuesday morning she was up, bright and early, making her tamales for that night. Poncho came by on the bicycle and by 4:45 she, her tamale pot and her stool, were delivered to her corner. As they arrived, they saw Isabel setting up her stool and her tamale pot.

"And?" was all Doña Clara asked Isabel with her hands on her hips and her legs apart. Her long grey braids caught the sun as she stood waiting for an answer. Her white apron was like a starched shield, prepared for battle.

"Doña Clara" began Isabel, speaking with slow deliberation, "we thought you were

dejado de hacer tamales. No había venido en varios días. Yo no tengo empleo y pensamos que podíamos vender tamales todos los días, aquí en su lugar.

—Isabel, quiero que tú y tu Abuela sepan que seguiré vendiendo tamales camino al cementerio. Hasta entonces estaré en este puesto vendiendo—.

Isabel decidió ahí mismo empacar sus cosas, e irse a casa. Cuando llegó, su abuela hablaba por teléfono.

—Isabel, es para ti. Ven pronto—.

—Sí. Sí puedo estar ahí por la mañana. Sí tengo la experiencia. Trabajé para la compañía de teléfonos por quince años. Gracias. Gracias por su llamada. La veré mañana por la mañana—.

El hacer tamales es un proceso largo y arduo. Al hojear el libro de cocina de mi mamá, encontré su receta para tamales. Llenó cuatro páginas con su letra menudita y apretada. Di una risita cuando leí la última frase de mi mamá: *También se pueden comprar tamales deliciosos, en algunas esquinas de Oaxaca.*

finished making tamales. You hadn't come in several days and I don't have a job and we thought we would sell tamales here in your place."

"Isabel, I want you and your grandmother to know that I will sell tamales on my way to the cemetery. Until then I will be here in this spot selling them".

Isabel decided, then and there, to pack up and go home. When she arrived, her grandmother was on the telephone.

"Isabel, it's for you. Come quickly."

"Yes. Yes. Yes, I can be there in the morning. Yes, I have experience. I worked for the telephone company for fifteen years. Thank you, thank you for calling. I will see you in the morning."

Tamale making is a long and arduous process. As I leafed through my mother's cookbook, I found her recipe for tamales. It filled four pages. I chuckled when I read my mother's final sentence: "One can also buy very delicious tamales on some street corners in Oaxaca."

AJO

Garlic significa ajo. Es cierto que crece mucho ajo. Comen mucho ajo. Pero no en cantidades suficientes para merecer el pueblo ese nombre. No es como si fuera la capital del ajo. No es la capital de nada. Ajo es un pueblecito fuera de la carretera, en el norte de Nuevo México. Los habitantes serán unos doscientos; quizás aumente un poco la población cuando la gente vuelve, para decorar las sepulturas de sus familiares, el día de los muertos. En esa época del año, las viejas y vacías casas de adobe adquieren un suspiro de vida y se encienden luces hasta que los hijos, las hijas, los hermanos, las hermanas, vuelven a sus casas en la ciudad otra vez.

Algunos de los ex habitantes sienten pavor al regresar, porque quieren retener en su memoria, la imagen de un pueblo donde todas las casas estaban llenas; los niños jugaban en las calles, y los domingos se encontraba a todo el mundo en la misa de las nueve. El silencio, el vacío de Ajo en estos días, es más de lo que pueden aguantar.

Con las visitas temporarias, Roberto y Florencia, quienes viven en Ajo todo el año, tienen tema de conversación durante su cena.

—Los Abeytas están aquí. Es la primera vez que han venido desde que murió Doña Lala— dice Roberto, mientras parte su tortilla de harina, y hace una cucharita para su plato de chile rojo.

—Pues necesitaban decorarla—- suspiró Florencia. —No puede uno abandonar a sus muertos, así nomás, especialmente cuando su sepultura está a la entrada, y todo mundo la puede ver dejada—.

—Todo el mundo, mi hija, en estos días,

AJO

Ajo means garlic. They grow a lot of garlic. They eat a lot of garlic. But, not in quantities to warrant the name. Like, it's not the garlic capital. It's not the capital of anything. Ajo, New Mexico is a tiny town off the highway in Northern New Mexico. Its inhabitants might number two hundred; maybe the population doubles when people return to decorate family graves on Memorial Day and the empty old adobe houses acquire a gasp of life. Lights go on until the sons and daughters, brothers and sisters leave for their city dwellings again.

Some of the former inhabitants dread coming back because they want to keep the memories of a village where all the houses were filled, children played in the streets and Sundays, you met everyone at the nine o'clock mass. The silence and the emptiness of Ajo these days, is almost more than they can bear.

With the temporary visitors, Roberto and Florence, who live in Ajo year round, have fodder for dinner conversation.

"The Abeytas are here. This is the first time they've come since Doña Lala died," says Roberto, rolling his flour tortilla to make a spoon for his red chile.

"Well, they needed to decorate her," sighs Florence. "You can't just abandon your dead, especially when her grave is at the entrance and everyone can see she's barren."

"Everyone, mi hija, is practically just you and me

prácticamente somos tú y yo— contesta Roberto, mientras su cucharita de tortilla sigue zambulléndose en busca de más chile.

Era verdad. Sin nombrarlos oficialmente, o sin ninguna asignación, Roberto y Florencia se hicieron cargo del cementerio. Cada semana hacían su visita entre las sepulturas, recogiendo las rosas de plástico extraviadas, enderezando los floreros caídos y juntando las plantas trepadoras, atrincadas al cerco por un reciente ventarrón. No hay pasto y sólo unos cuantos árboles. A la distancia está el círculo de montañas, como purpúreos guardianes primordiales, contra la difamación y la infamia, por si acaso estas vinieran en marcha, cruzando los llanos hasta llegar a ese pequeño cementerio triste.

Roberto y Florencia habían sido uno, desde que se podía recordar. Se parecían. Bajitos, de cuerpo cuadrado, como personajes andantes de las historietas. Habían conocido al pueblo de Ajo en su eje, cuando el pueblo tenía, quizás, ochocientos habitantes, dos tiendas de abarrotes y una Casa de Correos. En esa época, hasta existían suburbios, cuyos nombres eran El Pueblo Chino y Hollywood. El origen de estos nombres nadie lo puede explicar. Los Asiáticos no se conocían en esta parte de Nuevo México y jóvenes aspirantes al cine, eran igual de escasos. Ahora estas colonias habían desaparecido. Por todas partes se veían casas vacías; algunas ya cayéndose. Las paredes de adobe se habían rendido al clima y a los años. Si se caían los techos, se perdía todo. Pronto las vigas estaban por el suelo y en las paredes comenzaba el proceso de auto implosión.

La migración más grande ocurrió con la Segunda Guerra Mundial. Los jóvenes se fueron y nunca volvieron. Las mujeres los siguieron. Las tiendas de abarrotes

these days," answers Roberto as his tortilla spoon dives for more chili.

It was true. Without any official naming, or assignment, Roberto and Florence have become the unofficial cemetery caretakers. They make weekly trips among the graves, picking up stray pink plastic roses, fixing the tipped over vases, and gathering the tumbleweeds against the fence from a recent windstorm. There is no grass, and few trees. Off in the distance is the circle of mountains, like purple primordial guardians against defamation and infamy, should those ever come marching across the plains to the forlorn little cemetery.

Roberto and Florence were one since anyone could remember. They looked alike. Short, square little bodies like walking cartoon characters. They had known Ajo in its heyday when the town had maybe eight hundred residents, two general stores and the post office. There were even suburbs back then, Chinatown and Hollywood. The origin of these names no one can account for. Asians were unknown in that part of New Mexico and starlets were equally scarce. Now these suburbs were gone. Empty houses everywhere; some already crumbling. Adobe walls have given in to the weather and the years. If roofs cave in, everything is lost. Soon the vigas, or beams are lying on the ground and the sidewalls begin the process of self-implosion.

The biggest migration occurred with World War II. The young men went away and never returned. The women followed. The general stores

cerraron, pero la Casa de Correos permaneció. Alfonso Córdoba había sido el Administrador de Correos, por casi cincuenta años. No trabajaba tiempo completo, pero todos los días, incluyendo los sábados, él estaba ahí para sortear el saco del correo, vender timbres y, en general, impartir noticias que valían la pena. La vida en Ajo, siempre se había regido por la Casa de Correos. Alfonso era tan responsable, que nadie se podía imaginar la vida en Ajo sin él, o sin la Casa de Correos.

El noviembre pasado, cuando Florencia entró para recoger su correo, encontró a Alfonso recargado sobre el mostrador, apretándose el pecho. Ella salió corriendo, a todo lo que daban sus cortas piernas. Le gritó a Ane, la esposa de Alfonso, que viniera pronto. Como su casa quedaba al lado del Correo, Ane salió corriendo, todavía limpiándose las manos en su delantal. Florencia fue al teléfono y llamó a la ambulancia, y luego, llamó a su otra mitad, a Roberto. Pusieron a Alfonso en el suelo. Ane lo cubrió tiernamente con una manta, mientras esperaban la ambulancia. Tenía que viajar noventa kilómetros desde Granada. Por puro milagro salvaron a Alfonso, pero la mala noticia fue que su lado izquierdo quedó paralizado y no podía hablar.

La vida de Ane se convirtió en un remolino, primero cuidar a Alfonso y luego atender a los clientes del correo, y luego, sus buzones. Corría entre su casa y la Casa de Correos para cumplir con su nuevo papel. De alguna manera logró salir adelante, hasta que Alfonso sufrió su segundo infarto. A partir de entonces, él la necesitaba a su lado de tiempo completo ¿Qué hacer con el correo? Ella le dijo a Roberto que pensaba renunciar. Fue una noticia pesada. Ajo sin Casa de Correos no se podía ni pensar. Roberto se fue a casa

closed but the Post Office stayed. Alfonso Cordova had been the Post Master for almost fifty years. He was only half-time but everyday, including Saturdays, he was there to sort the bag of mail, sell stamps and generally convey any worthwhile news. Happenings in Ajo had always sifted through the Post Office. Alfonso was so reliable that no one ever imagined life there without him or the post office.

But it was Florence who walked in for their mail, last November, and found Alfonso slumped over the counter, clutching his chest. She ran out the door with her little legs racing at their mightiest. She yelled for Ane, Alfonso's wife, to come quickly. Since the house was next door to the little Post Office, Ane ran over, wiping her hands on her apron. Florence went to the phone and called the ambulance and then she called her other half, Roberto. They laid Alfonso on his back on the floor. Ane gently covered him with a blanket while they waited for the ambulance. It had to travel twenty miles from Granada. Somehow, they saved Alfonso but the sad news was his left side became paralyzed and he couldn't speak.

After that, Ane's life became a round of care giving, first Alfonso and then the customers and their mail boxes. She would dart back and forth between her house and the Post Office to fill her new role. She was able to manage somehow, until Alfonso suffered his second stroke. Then he needed her at his side full-time. What to do with the Post Office? She told Roberto she was thinking of resigning. The news was heavy. Ajo without a post office was unthinkable. Robert went home

para darle a Florencia la noticia.

—No es posible. No podemos ir a Granada todos los días, para traer nuestro correo—.

—No, lo que pasará es que pondrán una de esas filas de buzones de acero y luego nunca nos hablaremos. Sólo iremos con nuestras llaves para abrir los buzones, sacaremos el correo y nos iremos a casa—.

—Roberto— dijo Florencia, mirando hacia arriba, en su estado de depresión, y de repente, con más ánimo, —¿por qué no solicitamos el puesto? Tenemos buenas referencias. Todo el mundo sabe lo bien que hemos cuidado el cementerio. Quizás pudiéramos hacerlo de voluntarios, gratis, para que no cierren nuestra Casa de Correos—.

Roberto estaba cierto que esta era una idea Florenciana, que no iba a llevarse a cabo sin bastante esfuerzo. Pero ella tenía razón. El cerrar la Casa de Correos le daría otro clavo de sepultura al pueblo. Se tenía que hacer algo.

—Estimado Administrador General de Correos— Así comenzaron la carta. —Somos un matrimonio mayor que hemos vivido toda la vida aquí en Ajo, Nuevo México; conocemos a todo el pueblo. Somos muy responsables y nos hemos encargado de cuidar nuestro cementerio, sin que nadie nos lo pidiera. Quisiéramos solicitar el puesto de Administrador y Administradora de Correos aquí. Si es problema la cuestión de salario, nos proponemos para hacerlo como voluntarios todo el tiempo que podamos. Ahora tenemos más de setenta años pero aún cosechamos casi toda nuestra comida y estamos muy bien de salud. Con interés esperamos su respuesta. Sinceramente. Roberto y Florencia Martínez—.

Mandaron la carta y se quedaron en espera de noticias. Iban a recoger su correo todos los días. El

to give Florence the news.

"It's not possible" We can't go to Granada everyday for our mail."

"No, what will happen is they'll put in those rows of silver metal boxes and we won't ever talk to each other. We'll just go with our keys, open our boxes, take our mail and go home."

"Roberto," Florence cried, looking up from her dejection, suddenly alive, "why don't we apply for the job?" We have good references. Everyone knows how well we've taken care of the cemetery. Maybe we could just volunteer to do it free so that they don't close our Post Office."

Roberto was sure this was a Florence idea that wouldn't happen without considerable effort. But she was right. The closing of the post office would be one more coffin nail for the town. They had to do something.

"Dear Postmaster General," the letter began. "We are an older couple who have lived here in Ajo, New Mexico, all our lives. We know everyone in our town. We are very responsible people since we have taken care of our cemetery for several years and no one ever asked us to. We would like to apply for the job of Postmaster and Postmistress. If the pay is a question, we are volunteering to do this job as long as we are able. We are now in our seventies but we grow most of our own food and we are in good health. Sincerely, Roberto and Florence Martinez."

They mailed the letter and began to wait for news. They would check their mail every day. The

Administrador General de Correos, seguro recibió su generosa oferta, pero no les llegaba una respuesta. Fue en abril, cuando llegó la maquinaria para escarbar la tierra, en frente de la abandonada tienda de abarrotes. El dueño, que vivía fuera, había dado permiso para que se pusieran ahí, los buzones de acero. La larga fila de buzones relumbraba fría y silente. Hasta el sol de la primavera en Ajo, se rehusaba a inyectarles ninguna semejanza de vida. Al final, Roberto y Florencia ya no buscaron una respuesta en su buzón. Hace como un año, que dejaron finalmente, de esperar.

Postmaster General must have received their generous offer but a response was not forthcoming. It was around April that the backhoe began to dig up the ground in front of the boarded up general store. The out-of-town owner had given permission for the silver mail boxes to be placed there. The long row of metal boxes stood shiny, cold, and silent. Even Ajo's spring sunshine refused to inject them with any semblance of life. Roberto and Florence stopped checking their mail box for a reply to their letter. It's been about a year now that they finally gave up on the Post Master General.

UNO DE LOS TRES REYES

Se llamaba Balthazar. Durante sus diez cortos años, su nombre se había pronunciado exactamente así. Nadie lo abreviaba. Su mamá había elegido su nombre, pero no su manera de ser. Ojos tan azules como el cielo más claro y su pelo del color de borlas finas y doradas. Balthazar, era un niño nacido para ser querido por todos. Nunca se le tenía que recordar que debía saludar a los adultos. Siempre compartía sus ideas y pensamientos. Usualmente, lo que relataba era de lo más afortunado, porque ese parecía ser su destino. Ahora, estaba deseando contarles a todos, que su escuela tenía un programa de intercambio, con una escuela en Oaxaca, México. Él iba a visitar Oaxaca por diez días. Su familia de anfitriones tenía dos hijos, Carlos y Luis, que ya se habían quedado en casa de Balthazar, el año pasado. Cuando él llegó a Oaxaca, lo llevaron a todas partes. A veces, los tres muchachos iban en camión al Zócalo, la plaza principal.

En los mercados cerca del Zócalo, Balthazar se quedó maravillado, al ver tal cantidad de frutas y verduras. Algunas, como los chayotes y nopales, él jamás los había visto. El surtido de frijoles y chiles también le impresionó. Cada puesto en el Mercado, era como un cuadro de pintura. La gente del Mercado, también se fijaba en esta criatura de diez años, con el pelo tan rubio, y ojos de un color, que sólo veían en los cielos. Caminando por el mercado, con sus dos amigos, Carlos y Luis, Balthazar compró regalos: a su papá, una funda de cuero para cuchillo, una cruz de oro pequeñita, a su mamá, y un pañuelo grande, estampado, con la imagen de la Virgen de Guadalupe, para su abuela. La Virgen, le informó Carlos, era protección contra cualquier cosa. Estas eran buenas

ONE OF THREE KINGS

His name was Balthazar. For the ten short years of his life, his name was exactly that. No one ever abbreviated it. His mother had chosen his name but not his manner of being. Eyes as blue as the clearest sky and hair the color of fine golden tassles. Balthazar was a boy born to be loved by everyone. He never had to be reminded to speak to grownups. He always shared what was happening in his life. Usually, he related untold good fortune because that seemed his destiny. He was excited to tell everyone how his school had an exchange program with a school in Oaxaca, Mexico. He would be visiting for ten days. The host family had two boys, Carlos and Luis, who had stayed with Balthazar last year. When he arrived in Oaxaca they took him everywhere. Sometimes the three boys would ride the bus to the Zócalo, or main square.

At the markets near the square, Balthazar was amazed at the array of fruits and vegetables. Some like chayotes and nopales he had never seen before. The assortment of dried beans and chiles was amazing. Each stall in the market was its own painting. The market people stared back at this ten-year-old creature with such blond hair and eyes, a color they only saw in the heavens. Balthazar made his way through the market with his two friends, Carlos and Luis. He bought gifts for his family: his dad got a leather sheath for a knife, a tiny gold cross for his mother, and a large bandana with the Virgin of Guadalupe for his grandmother. The Virgin, Carlos informed him, was insurance against most anything. That was good

noticias, para Balthazar, porque quería muchísimo a su Abuelita. Al terminar sus compras, le quedaron sólo ocho pesos, lo bastante para un helado, en el camino a la casa. Finalmente, salieron de los pasillos y de la puerta del mercado, al sol de Oaxaca.

Siguió a Carlos y Luis a la parada del camión. En el camino vio Balthazar, a la criatura más desdichada que jamás había visto. El hombre iba adelante de ellos en la acera. Andaba de lo más sucio. Su cabello enmarañado y apelmazado. Sus pies descalzos, estaban tan sucios y encallecidos, que aparentaban nunca haber llevado zapatos. Sus piernas deformadas, se volteaban hacia fuera. Los muchachos se quedaron detrás, casi con miedo de pasar frente a él. El hombre se inclinó hacia un papelito en la acera. Después, examinó un basurero en el poste de la lámpara. Lo hurgó rápido, como un experto, y luego, continuó su camino. Lo observaron como levantó un vaso de plástico, con unos pedacitos de fruta marchitos. Sus dedos trataban de asir la fruta y se la comía desesperado, arrimado a una pared. Balthazar decidió darle al hombre sus ocho pesos, cuando pasaran frente a él. Le alargó, primero, la mano con un peso. El hombre gruño y lo agarró, como un animal rabioso. A Balthazar le dio miedo y dejó caer el peso, pasando delante del hombre.

— No se les debe dar nada—, dijo Carlos.

—Papá dice que están así, porque quieren, que es su culpa— añadió Luis. —Es que no quieren trabajar. Mejor pasan la vida yendo por las calles, recogiendo las sobras de los demás—.

—Pero tenía mucha hambre— pensó Balthazar.

No le importó quedarse sin dinero suficiente para comprar un helado. Realmente, ni siquiera le apetecía

news to Balthazar because he dearly loved his grandmother. At the end of his buying spree, he had only eight pesos left, enough for an ice cream on the way home. He finally made his way through the market aisles and out the door to the sunshine of Oaxaca.

He followed Carlos and Luis to the bus stop. On the way, Balthazar saw the most wretched creature he had ever seen in his short life. The man was in front of them on the sidewalk. He was filthy. His hair was matted, clothing in tatters. The bare feet were so dirty and calloused; it seemed he had never worn shoes. His legs were deformed and turned outward as he walked. The boys stayed behind him, almost too fearful to pass him. The man bent over to some paper on the sidewalk and then went on. Next, he examined a trash basket on a lamp post. He poked through quickly, like an expert and continued on his way. Afterwards they watched him pick up a plastic cup with a few pieces of decayed fruit. His fingers grasped at the fruit and he ate desperately, as he leaned against a wall. Balthazar had already decided to give the man his eight pesos as they passed him. He reached out with one peso in his hand. The man grunted and grabbed like a ravaged animal. Frightened, Balthazar dropped the peso and quickly passed him.

"You're not supposed to give them anything," said Carlos.

"Dad always says it's their own fault," added Luis. "They just don't want to work. They would rather spend their life on the streets picking up people's leftovers."

"But he was very hungry," thought Balthazar.

He was glad he wouldn't have enough money for an ice cream. He really didn't feel like ice cream

135

después de esto.

Los muchachos se subieron al camión con Luis el mayor, pagando por todos. En cuanto se sentaron detrás del chofer, oyeron el rasgueo de guitarras. Balthazar volteó la cabeza hacia la parte trasera del camión. Dos muchachos, casi de su edad, estaban tocando unas guitarras muy viejas y estropeadas. Su canción era una mezcla de lamento y gemido. Nada afinada. Sus ojos cautelosos, seguían a los pasajeros, en tanto que sus manitas sucias, repetían las mismas notas en las viejas guitarras. Apenas, habían cantado un verso cuando se pararon, y metódicamente, fueron por el pasillo del camión, con las manos extendidas, en espera de donativos. Casi toda la gente miró fijo hacia adelante. Unos cuantos, les pusieron un peso o cincuenta centavos en las manos. Después de observarlos, Balthazar decidió que este era un buen uso, para el resto del dinero de su helado. Poco antes de llegar a él, con las manos extendidas, los entretuvo en conversación, un hombre sentado detrás de Carlos.

—¿Qué les pregunta?— le pidió saber, Balthazar, a Carlos.

—Les está diciendo que sólo cantaron un verso. Ellos le dicen que no saben otro. Les preguntó si iban a la escuela. Dijeron que no. Andan en los camiones todo el día cantando su verso. Les preguntó que dónde vivían y le contestaron que viven con su Abuela, en donde ella encuentre lugar—.

En un relámpago, se le ocurrió a Balthazar pensar si esta Abuela tendría un pañuelo de la Virgen. En ese momento, oyó a los muchachos riéndose. Volteó y los observó tirar las cabezas hacia atrás y dar unas carcajadas casi histéricas.

—¿Por que se ríen?— preguntó Balthazar,

after this.

The boys boarded the bus with Luis, the oldest, paying the fare for everyone. As soon as they sat down behind the driver, they heard the strumming of guitars. Balthazar turned his head toward the back of the bus. Two boys about his age were playing battered old guitars. Their song was a mixture of wailing and lament. None of it on key. Their eyes watched the passengers stealthily as their dirty hands strummed the same chords on the worn guitars. They had barely sung a chorus when they stopped, went methodically to the back of the bus, and held their hands out for donations. Most people stared straight ahead. A few put a peso or fifty centavos in their hands. Balthazar, after watching them fascinated, decided this was a good use for the rest of his ice cream money. Just before they reached him with outstretched hands, they were stopped in conversation, by the man seated behind Carlos.

"What's he asking them?" Balthazar asked Carlos.

"He's telling them they only sang one verse. They told him they don't know any more. He asked them if they go to school. They said no, they ride the buses all day, singing their verse. He asked them where they live and they answered that they live with their grandmother, wherever she finds a place for them."

In a fleeting moment, Balthazar wondered if she had a Guadalupe bandana. Suddenly he heard both boys laughing. He turned and watched them throw back their heads in almost hysterical laughter.

"Why are they laughing?" Balthazar asked,

totalmente desconcertado.

—El hombre les preguntó, que qué les iban a traer los Reyes Magos este año. Eso les hizo reír, porque dijeron que nunca habían visto a los Magos. Nunca les han traído nada. Dijeron que no creen siquiera que existan—.

—Aquí bajamos— dijo en ese momento, Luis, con prisa.

Los tres muchachos se pararon y así, pasaron ante los dos músicos para bajar. Balthazar, sacó de su bolsillo sus últimos siete pesos y se los dio, envueltos en el pañuelo estampado con la Virgen, así, nada más al pasar, bajando del camión.

totally bewildered.

"The man asked them about the Three Kings. He asked what the Three Kings were bringing them this year. That made them laugh because they said they had never seen the Three Kings. They had never brought them anything. They said they didn't believe they existed."

"This is our stop," Luis said hurriedly.

The three boys stood up and passed the young minstrels on their way to the exit. Balthazar reached in his pocket and gave them his last seven pesos, wrapped in the Guadalupe bandana, just like that, before he stepped off the bus.

MOSQUERO

Este es un cuento sobre el pueblo de Fly Swarm, Nuevo México. En verdad, no se llama de esta manera, pero esto es lo que significa su nombre: Mosquero. Se encuentra en cualquier mapa. Bueno, no cualquiera, pero sí en un mapa detallado acerca de Nuevo México. Esos mapas detallados que también muestran el pueblo de Costilla, o Rib en inglés, el pueblo de Cerro, o Hill en inglés. Son pueblitos pequeños. Si uno va manejando, la carretera, de repente, da una vuelta y usted casi termina en el portal de alguien, donde tienen chicos de maíz secándose, y dos viejas mecedoras vacías a toda hora, excepto por las tardes.

Si recuerdo Mosquero, es más que nada porque ahí vivían mis Tíos Ofrocinia y Melitón. Tía Ofrocinia vino a visitarme en Cleveland una vez, después de muchos años, y mis amigos, que no podían pronunciar su nombre, le pusieron "Tía One" con mucha ternura. Para entonces, ya mi Tío Melitón había muerto. Murió poco después de casarme yo, con un Austriaco y en Austria. Él, cuando oyó las noticias, comenzó a sollozar, —Pero, ya no la volveremos a ver,— lloraba inconsolable.

El verano en que tenía yo diez años me vio tanto, como para durarle toda la vida. Fui a Mosquero y compartí una parte de ese verano inolvidable con ellos. Debo decir que tenían cierto status mis Tíos en Mosquero. Mi Tío Melitón era el encargado de llevar el correo a los lugares rurales. Mi Tía había enseñado a muchos de los niños del pueblo, de una manera informal antes de que tuvieran escuela. Su salario: un dólar mensual por alumno. Tenía trece estudiantes además de sus siete hijos.

FLY SWARM

This is a story about Fly Swarm, New Mexico. That's really not its name but that's what its name means in English. The town's name is Mosquero. It is on any map. Well, not any map, but any map with detail about New Mexico. These detailed maps also show the villages of Costilla, or Rib, Cerro, or Hill. They are tiny little towns. Driving through, the road may take a sudden turn and you almost end up on someone's front porch, where chicos or corn are drying for winter and a couple of old wooden rockers sit empty except in the evenings.

Mosquero I remember best because that's where my aunt and uncle lived. Tía Ofrocinia and Tío Meliton. Tía Ofrocinia came to visit me in Cleveland, Ohio many years later and my friends couldn't pronounce her name, so they warmly called her Tía One. Tío Meliton had died by then. He died not long after I was married to an Austrian in Austria. When Tío heard the news he broke down. "But we'll never see her again" he sobbed, unconsolably.

The summer I was ten he probably saw enough of me to last a lifetime. I came to Mosquero and lived with them a part of that memorable summer. They had a certain status in Mosquero, my Tíos. Tío Meliton was the rural delivery postman. Tía had taught many of the children in an informal school before they had schools. Her salary: $1 a month per child. She had thirteen students in addition to seven children of her own.

La menor era Rosenda. Fue por Rosenda que llegué a Mosquero formalmente, no nomás así. Ella fué la que organizó mi llegada, y mi debut en Mosquero ese verano. De eso es de lo que trata este cuento.

Para que entiendan, Rosenda recién había terminado la preparatoria. Así que era ocho años mayor que yo. Esto hacía de ella, a mi parecer, una columna de sabiduría y conocimiento. Para celebrar su graduación, ella y mi Tía vinieron a visitarnos en el camión de Greyhound. Su llegada se celebró con muchas fanfarrias. Rosenda bajó primero del camión, muy bien peinada y de uñas pintadas. Volteó con gran dignidad para darle la mano a mi Tía, que bajó del camión con el aire de una reina, descendiendo a saludar a sus súbditos. Su estructura alta y delgada, coronada con un gran sombrero de paja, que no se asentaba sencillamente, en su cabeza, ¡pertenecía! Mi Tía era una favorita, porque siempre nos recordaba en nuestros cumpleaños y en la Navidad. Además era muy chistosa. Me acuerdo un día que la estaba peinando Rosenda en frente de un espejo. Mi Tía estiró la mano hacia la mesa, para poner en su boca lo que pensaba que era su chicle. Cuando lo mordió resultó que era una piedrita que había llegado ahí, quien sabe como. Lo único que pudo decir mi Tía fue "O sheet-eh". Su maldición en "Espanglish" perdió toda su vehemencia y dejó sólo su gracia.

Rosenda, ahora una graduada de prepa, me tenía siguiéndola a todos lados. Aparentemente, mi adulación le gustó, porque a la mitad de su visita me invitaron a regresar con ellas a Mosquero. —¿Pero, están seguras?— les preguntó mi mamá. Entonces, añadió, —Saben que esta vagabunda iría al garaje, si nomás ahí va alguien—.

—Oh, se divertirá muchísimo. Podrá jugar con

The youngest was Rosie. It was because of Rosie that I didn't arrive in Mosquero just like that. She masterminded my arrival and my debut in Mosquero, New Mexico that summer, is what this story is really about.

You see, Rosie had just finished high school. That made her eight years older than I and a pillar of wisdom and knowledge in my eyes. To celebrate her graduation, she and Tía came to visit us on the Greyhound bus. Their arrival was heralded with great fanfare. Rosie stepped off the bus first, all nail polished and coiffed. Then she turned to give Tía her hand. Tía stepped down with the air of a queen descending to greet her subjects. Her tall, thin frame was topped by a wide brimmed straw hat, which didn't just sit on her head. It belonged. Tía was a favorite since she always remembered our birthdays and Christmas. Plus, she was very funny. I remember Rosie combing her hair one day in front of a mirror. Tía reached down and put what she thought was her little wad of chewing gum in her mouth. It was a pebble, which had made its way to the same spot. When she chomped down on it, the only thing she could say was "O, sheet-eh." Her Spanglish curse lost all its vehemence and left only its humor.

I followed Rosie, now a graduate, everywhere. Apparently, my adulation pleased her because, half way through their visit, I was invited to return with them to Mosquero. "Are you sure?" my mother asked them. Then, she added, "You know this vagabunda will go into the garage if that's the only place someone is going."

"Oh, she'll have a great time. She can play

todos los niños de los alrededores—, contestó Rosenda ligeramente. Sólo después de llegar a Mosquero, comprendí yo el precio que pagaría por ese privilegio. Pronto, descubrí que de no obedecer alguno de sus mandados con suma rapidez, me encontraba con su amenaza inmediata de mandarme de regreso a casa. Además articulaba las amenazas de tal manera, que me hacían sentir que era capaz de ponerme en una caja de cartón, y mandarme como flete en el próximo camión Greyhound.

Mis padres, aunque dudosos, acerca de mi buen comportamiento, dieron su permiso para mi visita a Mosquero. Era mi primera vez fuera de casa y me rendí por completo a la supervisión de Rosenda, para la preparación de mi ropa. Tuvo la última palabra en lo que iba a llevar para el viaje.

—No, este no—. ¿No tenia otro color? ¿No estaba un poquito largo ese vestido? ¿Me llevaría mi mamá de compras antes de irnos?— Mi respuesta era siempre —no—. Entonces su boca formó una sola línea de resolución y sus ojos escudriñaron mi figura y mi forma tratando de ver mejor, como ponerme presentable para ir a Mosquero, dados todos los obstáculos que se le formaban.

Uno de los obstáculos más grandes para mi debut en Mosquero, según Rosenda, eran mis brazos peludos. No lo mencionó, hasta que ya íbamos en camino, bastante adelantado este. Realmente, nunca lo mencionó del todo; aunque es verdad, que con tanto pelo en mis brazos, parecía algo primate. Camino a Mosquero, pasamos una noche en un motel y Rosenda me arrinconó en el lavabo del baño, armada con un tubo nuevo de crema depilatoria. Comenzó a aplicar la crema sobre mis brazos, de arriba para abajo, de la muñeca hasta el hombro. Nunca me preguntó si yo

with all the kids around us," Rosie answered casually. Only after arrival was I to understand the price I'd pay for that privilege. I was soon to discover that not obeying any of her commands with utmost promptness would be countered with immediate threats from Rosie for my shipment home. Further, she issued the threats as if I might be put in a cardboard box, and sent as freight, on the next Greyhound bus.

My parents gave dubious consent to my visit to Fly Swarm. It was my first time away from home and I gave in to Rosie's supervision of my packing completely. She had the final say on all the clothes I put aside for the trip.

No, this wouldn't do. Did I have another color? Wasn't that dress a little long? Did I think my mother might take me shopping before we left. My answer was "no" to most of her questions. At that point, her mouth formed one resolute line and her eyes scanned my figure and form to see how best she might make me presentable in Fly Swarm, given the obstacles.

One of the greatest obstacles for my Fly Swarm debut, according to Rosie, was the hair on my arms. Now she made no mention of this until we were well on the road. Truthfully, she made no mention at all of it, even though my hairy arms were a bit primate-looking. We spent one night in a motel on the way to Fly Swarm and Rosie cornered me at the motel's bathroom sink with a fresh tube of Nair No Hair. She began to apply the cream the entire length of my arms, from the wrist to the shoulder. There was no question put to me

quería quedarme sin pelo. Sencillamente me llevó al baño y con la misma línea de resolución en la boca, comenzó su tarea. Solo recuerdo que no me opuse, porque temía que me cancelaran el viaje y entonces, nunca viviría la aventura que me ofrecía Mosquero.

Al día siguiente nos recogió mi Tío Melitón y así entramos a Mosquero, donde todo, a primera vista, parecía hecho de tierra. Las casas, las calles, hasta la gente tenía ese color. Poco después que desempacamos, comenzaron a llegar las vecinas de mi Tía. Las mujeres, casi todas de negro, se sentaron en sillas rectas en la sala y se cruzaron los brazos bajo los senos. Este gesto se acompañaba por el mecerse, tras y tras, mientras escuchaban algo. De vez en cuando miraban a la distancia y decían, —Si, así es—. Entonces volvían a mecerse, siempre con sus brazos cruzados marcando los senos. Esto era una reacción inmediata a algo que mi Tía relataba sobre los afanes de la ciudad que había visitado. Inevitablemente estaban de acuerdo en que las ciudades eran corruptas y que aquí se estaba mejor.

Después de un rato salí afuera, donde encontré una acequia estupenda y a una niña caminando en ella, defendiendo su falda del agua que le llegaba hasta el tobillo. Me enteré que se llamaba Celia y que vivía a tres casas de distancia. Se hizo mi mayor confidente durante mi visita a Mosquero. De vez en cuando, salía yo corriendo a jugar con ella después del almuerzo. Pronto oía a Rosenda que me llamaba desde la puerta de atrás: —Debes entrar a ayudarnos con los trastes o tendremos que mandarte a tu casa—.

Para mí esto significaba la caja de cartón, metida en el departamento de carga del camión. Era tan

as to whether I would like to be hairless. She simply took me into the bathroom and with the same resolute line on her mouth began her task. I only remember that I didn't oppose for fear of having my trip canceled and never knowing the adventure that Fly Swarm might offer.

Tío Meliton picked us up the next day and we drove into Fly Swarm where everything at first glance seemed to be made of dirt. The houses, the streets, even the people had that color. Not long after we had unpacked, Tía's neighbors began to call on us. The ladies, mostly dressed in black, sat on straight chairs in the living room and put their arms under their bosoms. This gesture was accompanied by a rocking motion, when they were in the listening mode. Occasionally, they would sigh, look off in the distance and say "Asi es, that's the way it is." Then they would come back to their bosoms and more rocking. Usually it was a reaction to something my aunt related about the travails of the big city from which she had just returned. The consensus inevitably was that cities were corrupt and they were much better off, here.

Eventually, I made my way outside where I found a wonderful irrigation ditch and a little girl wading in the ankle length water with her skirt held at her knees. I found out her name was Celia and she lived three houses away. She would be my best confidante during my Fly Swarm visit. Occasionally, I would dash out to play with Celia right after lunch and then I would hear Rosie calling from the back door, "You better come in and help with these dishes or we'll have to send you home."

Visions of the cardboard box and riding in the freight compartment of the bus were so

amenazante, que inmediatamente dejaba a Celia detrás y corría hacia la cocina para recoger un trapo de secar los trastes.

Ahora creo que mi Tío Melitón sabía que Rosenda tenía tendencias autocráticas. Probablemente, realizaba que él las había provocado al mimar bastante a su hija menor. Sin embargo, él sentía como una responsabilidad, el rescatarme de vez en cuando, y me invitaba a salir con él, en su ruta de entrega del correo. Íbamos por un paisaje vasto, semi-desértico, sin encontrar a nadie en las carreteras. De vez en cuando, nos parábamos en un buzón, en medio de ninguna parte. Mi tarea era poner el correo en el buzón, si él, no lo alcanzaba desde la ventanilla del coche. Sólo una parada parecía habitada. Era la sede de una gran hacienda. Tenía muchos establos y corrales. La casa era grande y elaborada, con un largo portal de biombo. Nos paramos ahí para descansar del trabajo solitario, en la distribución del correo rural. A mi Tío le ofrecieron café y yo comí unas galletas. El dueño y mi Tío charlaron un buen rato. Yo me senté callada y observé todo. Los muebles de mimbre tenían cojines de tela floreada y alegre. Cuando me hundí en ellos por primera vez, recuerdo haber pensado que probablemente era mejor no tener los brazos peludos. Tal vez así concordaba mejor, y quizás, después de todo, la Rosenda, había tenido razón.

threatening, I left Celia behind, immediatelyt dashing into the kitchen to pick up a dishtowel.

Now, I believe Tío Meliton knew that Rosie had autocratic tendencies. He probably realized he had a hand in creating them by somewhat spoiling his youngest daughter. Thus, he felt his mission was to rescue me from time to time by inviting me to join him on his rural mail delivery route. We would ride through vast, semi desert country, meeting no one on the roads. Occasionally we would stop at a mail box in the middle of nowhere. My job was to put the mail in the box, if he didn't reach it from the car window. Only one stop appeared inhabited. This was the headquarters of a big ranch. There were many barns and corals. The house was large and elaborate, with lots of screened porch. Here we stopped for a break in the lonesome job of the rural mail delivery. Tío Meliton was offered coffee and I had some cookies. The ranch owner and my uncle chatted a long while. I sat quietly and observed everything. The wicker furniture on the porch had gay, floral cushions and, as I sank into them, I remember thinking it was good that I didn't have hairy arms. I probably fit in better now, and maybe, Rosie was right after all.

TROMPETAS Y MAROMAS

En el aeropuerto de Puerto Escondido, Oaxaca, se escuchaba el alboroto de siempre. Mantener una conversación telefónica, resultaba poco menos que imposible. Un hombre, alto y moreno, estaba parado sosteniendo el teléfono en una mano, mientras delineaba, cariñosamente, con los dedos de la otra, los labios de una mujer joven, sensual, de pelo castaño, largo y liso. Sus ojos lo miraron, mientras su boca hizo un mohín coqueto, para que él pudiera tocar sus labios, con mayor intensidad.

Al teléfono él decía: —Carmen, Carmen. Mira, me dejó el avión. Llegué a la salida cuando ya despegaba. Estoy en Veracruz. No hay vuelo a Oaxaca, hasta mañana por la tarde. Sí, sí, yo sé que la despedida de Lupita es esta noche. Pero eso es sólo para mujeres. Ya se divertirán. Llegaré a la casa con bastante tiempo para el ensayo en la iglesia. No, no me recojas. ¿Te acuerdas? Dejé el coche en el aeropuerto. Te veo mañana, como a las cinco de la tarde. ¿Qué, qué?—

—Te dije que no descargues todas tus baterías— contestó Carmen al teléfono, con una carcajada cínica.

— ¿Que dices? ¿Por que te ríes así?— preguntó su esposo, mirando perplejo, al teléfono.

—Bien que sabes lo que te digo. Te veo mañana—, concluyó Carmen, mirando el teléfono, ahora con disgusto mientras colgaba.

Volteó hacia una mujer frágil, de pelo blanco parada en la entrada. La mujer levantó la cabeza con dignidad y no dijo nada, esperando que hablara su hija primero.

—Era Manolo. No llegará hoy, sino mañana. Está en Veracruz. Dice que perdió el último avión para

TRUMPETS AND SOMMERSAULTS

The Puerto Escondido airport phones had the usual commotion around them. The tall, swarthy man stood with one hand cradling a phone and his other hand fondly tracing the lips of a sultry young woman with long, straight, chestnut hair. Her eyes watched his hand and her mouth made a full pout so he could trace more intensely.

"Carmen, Carmen. Look, the plane left me," he said into the phone. "I got to the gate just as it was taking off. I'm in Veracruz. There isn't a flight to Oaxaca until late tomorrow afternoon. Yes, yes I know that Lupita's shower is tonight. But that's just for women. You'll have a good time. I'll get home in plenty of time for the rehearsal at the church. No, don't pick me up. Remember, I left the car at the airport. I'll see you tomorrow about five. What?

"I said don't run down all your batteries," answered Carmen on the other end with a cackling laugh.

"What do you mean? Why are you laughing like that?" her husband looked into the phone puzzled.

"I'm sure you know what I mean. I'll see you tomorrow." Carmen concluded, looking at the phone with disgust as she hung up.

She turned toward a frail, white haired lady in the doorway. The woman raised her head with dignity and said nothing, waiting for her daughter to speak first.

"That was Manolo. He won't be here until tomorrow. He's in Veracruz. Says he missed the last plane to

Oaxaca. Dice que, de todos modos, la despedida de Lupita es para mujeres—.

Su madre miró hacia abajo, detuvo la vista en su bastón y luego, levantó la cabeza lentamente, no queriendo comentar, porque cualquier cosa que dijera podría agravar la situación. —¿Donde está Lupita, Carmen? Quisiera hablar con ella, antes de que lleguen sus amigas para la despedida—.

—Bien, mamá. Espera allá en la ventana. Te ayudaré a llegar a la silla, y le diré que venga. Nomás ve despacio, yo te ayudo— dijo Carmen, en tanto que apoyaba con ternura a su mamá, mientras cruzaban la sala, para llegar a la ventana.

En cuanto se sentó en la silla, cerca de la ventana, la anciana tuvo a la vista el patio y el jardín. El gato estaba tomando el sol sobre las piedras calientes. Las abejas se zambullían entre las rosas. La bugambilia, con sus flores brillantes de color fucsia, cubría la pared del jardín. Azaleas, begonias y geranios en macetas salpicaban todo de color. Junio era el mes de los colores en Oaxaca. Las lluvias diarias, hacían que todo brotara con vida, después del calor sombrío de la estación de sequía.

—Es como si todas las plantas dieran luz, no sólo por la estación, sino porque mi nieta menor se casa en dos días. El mundo tiene que ser más hermoso por la boda de Lupita— concluyó.

—Tendré que hacer el esfuerzo máximo, para ir a la iglesia, aunque el dolor que siento, cuando camino, es como tener agujas en mis huesos—.

—Abuelita, ¿quería verme?— La joven de tiernos ojos oscuros, sonrió cuando se inclinó y besó a su Abuela en la mejilla. —¿Como están sus pies hoy? ¿Ha estado caminando?—

—Sí, estoy ensayando, porque estoy determinada a

Oaxaca. Lupita's bridal shower," he says, "is just for women anyway."

Her mother looked down at her cane, then slowly raised her head, not wanting to comment since anything she said might only aggravate the situation. "Where's Lupita, Carmen? I would like to talk to her before her friends get here for the shower."

"Fine, mother. You wait over there by the window. I'll help you get to the chair, and I'll send her down. Just go slowly," Carmen said, as she gently supported her mother's arm while they walked across the living room to the window.

As she sat in the chair at the window, the old woman had a view of the patio and the garden. The cat was sunning himself on the warm stones. Bees dove in and out of the roses. The bougainvillea with its brilliant fuchsia flowers covered the garden wall. Azaleas, begonias, geraniums in pots made splashes of color everywhere. June was a month of colors in Oaxaca. The daily showers made everything burst forth with life after the hot, somber modes of the dry season.

"It's as if all the plants came to life, not just for the season, but because my youngest granddaughter is getting married in two days. The world just needs to be beautiful for Lupita's wedding." she concluded.

"I will have to make the supreme effort to go to the church, even though the pain, when I walk, is like needles in my bones."

"Abuelita, did you want to see me?" The young woman with soft dark eyes smiled as she leaned down and kissed her grandmother on the cheek. "How are your feet today? Have you been walking?"

"Yes, I'm practicing because I am determined to

llegar hasta la iglesia y a verte en tu boda—. Pero te quería hablar antes de la despedida, porque hay unas cosas que quiero decirte. Primero, te digo, que te daré el Santo Niño de Atocha que me dio mi Abuela cuando me casé. Te quedas con Él. Ha sido el santo de mi casa todos estos años y ahora, te protegerá a ti y a tu hogar.

—Gracias, Abuelita— a Lupita se le llenaron los ojos de lágrimas, al pensar que su Abuela, no volvería a necesitar la imagen.

—Lupita, tu mejor amiga María, te dará una maceta en la despedida; simboliza el cuidado y la atención que requiere el matrimonio para medrar. También yo te daré algo: dos cucharitas. Una estará llena de miel, para que vayas conociendo la dulzura del amor y del matrimonio. La segunda cucharita tendrá agua con sal. Esto es para recordarte las lágrimas que trae todo amor. Son inevitables. Tú nos dejaras en tan sólo dos días, para iniciar tu nueva vida, como esposa de Esteban. Que te vaya siempre bien, mi hijita linda— Levantó las manos para tomar la cara de su nieta menor, y la besó en las dos mejillas, con gran ternura.

—Vendrás a la iglesia, ¿Verdad, Abuelita? —preguntó Lupita con ansiedad.

—Me duelen mucho estos pies acabados, pero voy a hacer mi mejor esfuerzo, aún si es en una silla de ruedas, pero iré— contestó su Abuela.

En la despedida, esa noche, Lupita se dejó llevar por la excitación de sus amigas y de los regalos. De vez en cuando, volteaba a ver a su mamá y a su Abuela, que la miraban con intensidad. Sabía bien que estaban muy tristes, porque ella se iba. Su mamá tendría que encontrar otra razón de ser. Su abuela se hundiría en su vejez, al no tener con quien compartir su sabiduría. Lupita las miró

get to the church and see you at your wedding. But before the shower, I want to tell you I will give you the statue of the Santo Niño de Atocha, which my grandmother gave to me when I married. You may have it to keep, if you like. It has been the patron saint of my house all these years and he can now protect you and your home."

"Thank you, Abuelita," Lupita's eyes filled with tears, knowing that her grandmother would never again need the statue in the same way.

"Then, Lupita, at the shower, when your best friend, María, gives you a plant, it is to symbolize the care and nurturing that a marriage requires to thrive. I will give you two teaspoons at the shower. One will be filled with honey to send you off, knowing the sweetness of love and marriage. The second teaspoon will have salt in water. This is to tell you about the tears that every love brings. They are inevitable. You will leave us in two days for your new life as Esteban's bride. May it always go well with you." She held her hands up to cup the face of her youngest granddaughter and kissed both her cheeks with great tenderness.

"You're coming to the church, aren't you, Abuelita?" asked Lupita anxiously.

"It is very painful on these old feet, but I am going to make my best effort, even if it's in a wheelchair," her grandmother answered.

At the shower, that evening, Lupita was caught in the excitement of her friends and the gifts. Occasionally, she would look over at her mother and grandmother, who watched her intensely. She knew well that they were very sad about her leaving. Her mother would have to find some other purpose for being. Her grandmother would move more into her world of aging with her wisdom underutilized. Lupita looked over at them

otra vez y se prometió que las visitaría a menudo.

—Mira, anoche fue como estar en el cielo mismo—. Manolo, el papá de Lupita, susurró esto al oído de su amante, jalándola hacia él, cuidadosamente, mientras mantenía una mano en el volante. –Cuánta mujer eres. Fue como el desmadre de trompetas y maromas a la vez. Ahora te llevo a tu casa y te llamaré después de la boda. Ya sé; ya sé. Quisiera verte antes, pero sabes que es mi única hija y su boda, pues, es muy importante para todos. Hasta su abuela va a tratar de llegar a la iglesia y mira, que no ha salido de la casa, desde el año pasado. Te prometo llamarte en dos días. Ya para entonces, esto de la boda habrá terminado—.

Su amante le puso una mano posesiva sobre la pierna y lo miró con un mohín en la boca. Sus ojos lo detuvieron, como si no se le escapara.

El día de la boda fue de sol y nubes blancas. Los hermanos de Lupita la llevaron a la iglesia. El coche de Manolo los siguió con Carmen a su lado. Se sentaba tiesa, alisando arrugas imaginarias en su regazo. Detrás de Manolo, en el asiento de atrás, estaba la Abuela, deseando haber aprobado el uso de la silla de ruedas. Carmen le había comprado zapatos nuevos, blancos, y ya le comenzaba el dolor en los pies. Se quitó los zapatos para estirar los dedos, aliviar los calambres y la estrechez.

Manolo y Carmen iban en silencio; cada uno mirando adelante, procurando no mirarse. En una vuelta del trayecto, oyó Manolo el siseo de la llanta. Entonces sintió el topetazo. Hábilmente dirigió el coche a la cuneta y lo apagó.

—Es un ponchazo— dijo saliendo del coche. —Lo puedo cambiar pronto— añadió, mientras buscaba bajo el asiento el gato hidráulico, antes de ir a la cajuela.

again, and promised herself she would visit often.

"Look, last night was pure heaven." Manolo, Lupita's father, whispered into his lover's ear as he pulled her toward him, carefully keeping one hand on the steering wheel. "You are some woman. It was like the blast of trumpets and wonderful sommersaults at the same time. I'll drive you home now, and then I'll call you after the wedding. I know, I know. I want to see you, but you know she's my only daughter and her wedding, well, it's very important to all of us. Even her grandmother is going to try to get to the church. She hasn't been out of the house since last year. I promise I'll call you in two days. By that time this whole wedding thing will be over." His lover put a possessive hand on his thigh and looked at him with a half pout. Her eyes held him as if he wouldn't get away.

The wedding day was filled with sunshine and white cotton clouds. Her brothers had taken Lupita to the church. Manolo's car followed later, with Carmen beside him staring in front of her. She sat stiffly, smoothing imaginary wrinkles on her lap. Behind Manolo, in the back seat was her mother, wishing she had consented to the wheelchair. Carmen had bought her new white shoes and the pain in her feet was already underway. She took off the shoes and tried to stretch her toes to relieve the cramping and tightness.

Manolo and Carmen rode in silence, each staring straight ahead. As they turned a corner, Manolo heard the hissing sound of the tire. He then felt the bumping and the rim. Quickly, he pulled the car over to the curb and turned off the ignition.

"It's a flat," he said getting out of the car. "I can change it quickly," he added as he searched under the seat for the jack before he went to the trunk.

No se le escapaba la cara de exasperación que le ponía Carmen. Entonces vio los zapatos blancos, bajo el asiento.

—Que descuidada— pensó, refiriéndose a su amante.

—Esto me puede arruinar. No puedo dejar que los vea Carmen— se dijo, en tanto agarró los zapatos.

—Los tiraré bajo el coche—.

Lo hizo rápido y luego, no encontrando el gato, se fue a la cajuela, hablándose entre dientes. Se tardó veinte minutos para cambiar la llanta y mientras tanto, hubo un silencio de plomo. La abuela, como de costumbre, no quería estar en medio del drama de ellos.

En cuanto arrancaron, con la llanta ya reparada, Manolo miró en el espejo retrovisor y vio los zapatos blancos, tirados en el lugar donde había estado el coche. En esto comenzó la abuela a buscar sus zapatos, sobre el piso, y luego bajo el asiento.

Claro que seguía sin encontrarlos cuando llegaron a la iglesia. Les explicó su situación, diciendo que era imposible que pudieran haber desaparecido, —no pudieron haber caminado solos— les dijo. Carmen y Manolo, no dijeron nada, pero, por supuesto, se daban cuenta que esto ya era el colmo. Se voltearon mirando hacia todos lados, menos el uno al otro.

Su actitud era tan tensa, que, de pronto, anunció la abuela, —Ya no busquen. No voy a causar todo este alboroto el día de la boda de mi nieta. Iré descalza. Por favor, cada uno de ustedes tome mi brazo y ayúdenme en las escaleras—. Seguir sus órdenes parecía lo más acertado, dada la presión de la hora, y cada uno obedeció en silencio.

Sólo se oyeron algunos murmullos cuando la abuela, descalza, caminó a lo largo del pasillo, hasta llegar a su lugar asignado, para la boda de su nieta menor.

The look of exasperation on Carmen's face didn't escape him. It was then he saw the white shoes under the seat.

"How careless of my lover" he thought to himself. "This could really ruin me. I can't have Carmen seeing them." He grabbed the shoes.

"I'll just throw them under the car." He did this quickly and then, not finding the jack, he went to the trunk, mumbling under his breath. It took about twenty minutes to change the tire and there was leaden silence from Carmen. Her mother, as usual, didn't want to get in the middle of the trauma.

As they drove off with the tire repaired, Manolo glanced in the rear view mirror and saw the white shoes where the car had been. About that time grandmother began to search for her white shoes on the floor and then, under the seat.

Of course, she hadn't found them by the time they arrived at the church. She explained her situation quietly, and for Carmen and Manolo, it was the last straw. They fluttered around looking everywhere except at each other.

They were so tense that suddenly, Grandmother announced, "Don't look any further. I am not going to cause all this confusion on my granddaughter's wedding day. I will go barefoot. Each of you kindly take my arm and help me up these steps." To follow her orders seemed most efficient, given the time constraints, and they each obeyed silently.

Only a few murmurs were heard, as the barefoot grandmother made her way up the aisle to her assigned place at her youngest granddaughter's wedding.

EL REGRESO AL HOGAR

—Este campamento no es nada de lo que yo imaginé. De ninguna manera— pensó Willie Mares, un niño de diez años. Se le ocurrió esto, mientras miraba fijamente, el techo de madera rústica, en el dormitorio del campamento. —Hace un frío horrible aquí, en cuanto se apaga la lumbre de la hoguera, hay que ir al dormitorio, a desvestirse, y meterse al saco de dormir. Además es un solo cuarto con otros veinticinco, y al único que conozco un poco, es a Jaimito García. La oscuridad es total y al ver el cielo, con tantas estrellas, parece que mi casa está muy lejos de aquí—.

Además, se estaba perdiendo parte de la visita de sus abuelitos. Su abuelito siempre lo llevaba a pescar. Iban solos los dos y cuando regresaban a la casa, aunque no pescaran nada, su Abuela tenía, esperándolos, bizcochitos de anís, con un vaso de leche para cada uno.

Ahora, recordaba la cara de su mamá, cuando lo inspeccionó, antes de que se subiera al camión, para ir al campamento. Su mirada de —yo espero que— lo cubría de los pies a la cabeza. Espero que seas educado, que te portes bien, que no pierdas tu ropa, que no causes ningún problema. Pero sólo le dijo —Que te diviertas mucho, mi querido—. Esto mientras le cepillaba el pelo una vez más, y luego, evitó mirarlo. Él no estaba seguro, pero creyó verle caer una lágrima. No, probablemente no. Su mamá era fuerte. Estaba criando sola a cuatro hijos, tres de ellos varones. No lloraba fácilmente y él sabía que no podía causarle problemas.

En serio, no quería causarle dificultades. Pero la verdad, no le gustaba estar aquí, arriba de la litera. No le gustaba el frío; no le gustaba la oscuridad. Sencillamente,

HOMECOMING

"No way. This camp isn't what I thought," ten year old Billy Mares mused, as he lay in the top bunk, staring at the rustic knotty pine ceiling of the camp dorm. "It's cold up here; as soon as the campfire goes out, when you have to go to your cabin, undress and crawl into your sleeping bag. Man, it's one room with twenty five other guys. I don't know any of them except Jimmy Garcia, a little bit. The darkness is so dark and the sky, with all the stars, makes home seem really far away."

Besides, being here meant missing part of his grandparents' visit. Grandpa always took him fishing. Just the two of them and when they came home, even if they hadn't caught anything, grandma had her bizcochitos, or anise cookies waiting with a glass of milk for each of them.

Now he remembered his mom's face as she looked him over, just before he boarded the camp bus in town. Her "I expect" look covered him from head to toe. I expect you to remember your manners; I expect you to behave; I expect you to keep track of all your clothes; I expect you not to cause any trouble. But she only said, "Have a real good time, honey," as she gave his hair one last brushing and looked away. He wasn't sure but he thought he saw a tear in her eye. No, probably not. His mom was a tough lady. She was raising four kids, three of them boys, all by herself. She didn't cry easily and he knew not to give her trouble.

He didn't seriously intend to cause trouble. But the truth was he didn't like it on the top bunk. He didn't like the cold; he simply didn't like the darkness.

no le gustaba este campamento de verano. Y todavía le faltaba otra semana. Ojalá, hubiera venido Ángel. Hubiera tenido a alguien. Aunque no siempre podía contar con Ángel, por lo menos, era su hermano. Si Ángel no hubiera sido tan buen jugador de beisbol, entonces no hubiera ido al campamento de beisbol y estuviera con él. Los dos años anteriores, Ángel sí estuvo y pues, se sentía o.k., no estupendo pero o.k.

Ahora era horrible. Mañana era día de visitas. Sabía que su mamá y su hermanita no vendrían a verlo. Es que no tenían coche. Ojalá pudieran traerlas los abuelitos. Pero ellos ya no manejan. O su tío Nicolás. Pero el Tío Nicolás tiene su propia familia y debe atenderla los domingos. Como el Tío trabaja en la carnicería seis días de la semana, sólo le quedan los domingos. Con la visita de los abuelos, todos comerían juntos mañana. Ahora, Willie se sentía peor, pensando en los aromas de la cocina, en esas comidas familiares. El aroma de los frijoles. La Abuela haciendo tortillas. —Ni lo voy a pensar—, concluyó —me hace sentirme peor—.

Otra semana. Ni hablar. De pronto se le ocurrió. Iba a marcharse. Se iba para su casa. Durmió sólo a momentos y a la mañana siguiente, lo primero que hizo, fue saltar de la litera, y doblarse sobre la cama de Jaimito García. Lo empujó para despertarlo. No lo conocía muy bien, pero tenía que preguntarle. —Oye, Jaimito, tú dijiste que venía a visitarte tu familia—?

— ¿Eh qué? pues sí, creo que sí,— le contestó Jaimito, todavía adormilado. Hoy es domingo, ¿verdad? Han dicho que vendrían el día de visita—.

— ¿Y dónde vives, Jaimito?—

—Y ¿Por qué?—

—No importa, nomás dime dónde vives—

He plain didn't like summer camp. And he still had another week to go. If only Angel could have come. He would have had someone. Although you couldn't always count on Angel, he was at least his brother. If only Angel hadn't been such a good baseball player, then he wouldn't have gone to baseball camp and he'd be here. The other two years Angel had been with him and it felt o.k., not great, but o.k.

Now it was terrible. Tomorrow was visiting day. He knew his mom and sister wouldn't come to see him. They didn't have a car. If only grandma and grandpa could drive them up. But they didn't drive anymore. Or Uncle Nick. But Uncle Nick had his own family to do things with on Sundays. Since he worked at the meat market six days a week, Uncle Nick only had Sundays. With grandma and grandpa visiting, they would all eat together tomorrow. Billy felt worse now thinking about the good smells in the kitchen from those family dinners. Beans cooking. Grandma making tortillas. "I won't think about it," he concluded, "it only makes it worse."

Another week? No way! Suddenly, it came to him. He'd leave. He was going home. He slept fitfully and next morning, first thing, he jumped down from the top bunk, bent over the lower bunk and shook Jimmy Garcia awake. He didn't know him very well but he had to ask him. "Hey, Jim, did you say your folks were coming up to visit?"

"Huh, what? yeah, I think so" Jimmy answered sleepily. "Today's Sunday, right? They said they were coming on visiting day."

"So, where do you live, Jimmy"

"So, why?"

"So, never mind why, just tell me where you live"

le demandó Willie, con su autoridad de niño de diez años, hablando con niño de nueve.

—Bajo el puente de la Calle 14, es una casa amarilla, con un Chevy azul, sobre bloques de madera en la entrada—.

—Pues, no es que vaya a tu casa. Quiero ir a la mía. ¿Crees que me llevarán tus papás a la ciudad con ellos?—.

—No creo que haya problema—, contestó Jaimito, —especialmente, si no vienen mis hermanas. Deben llegar como a las once. Pero no se quedarán mucho porque mi papá tiene que trabajar a las cuatro. ¿Y tú, por qué te vas?—.

Sin contestar, Willie casi brincó a la parte de arriba de la litera, para comenzar a doblar su saco de dormir y empacar la ropa adentro. Se lo había comprado su mamá este año. Estaba tan agitado, que comenzó mezclando la ropa sucia, con la ropa limpia. Pero sabía que eso no le gustaría a su mamá y empezó de nuevo, con orden y método.

La cola para el desayuno parecía interminable. Los huevos revueltos y el pan tostado, desaparecieron en un instante. Su apetito mejoró, sólo al pensar en dejar este lugar, para irse a su casa.

—Pero, claro que te llevamos, hijito— le dijo el Señor García, haciéndole una caricia en la cabeza. —Sólo que no podré llevarte hasta tu casa, porque tengo que ir a trabajar. Pero puedes agarrar el camión en la Calle 14, arriba—.

El viaje del campamento a la ciudad, le pareció interminable. ¿Le había pedido a Jaimito que avisara en el campamento que se iba? Creía que sí, pero no estaba seguro. Ni le importaba. Sólo quería estar en su casa.

Billy demanded with all the authority of a ten year old talking to a nine year old.

"Under the 14th street viaduct, in a yellow house with a blue Chevy on blocks in the driveway."

"Well, I'm not going to your house. I want to get to mine. Do you think your parents would take me to town with them?"

"Probably," Jimmy answered, "especially if my sisters don't come up with them. They should be here about 11 o'clock. But they won't stay long because my dad has to get to work by four. How come you're leaving?"

Without answering, Billy almost leaped back up to the top bunk to start rolling up his sleeping bag and packing his clothes into the bag his mom had bought him for camp this year. He was so excited he started mixing the clean and the dirty clothes. He knew that wouldn't make his mom happy so he began to pack with order and method.

The breakfast line seemed to take forever. The scrambled eggs and toast vanished in an instant. His appetite increased just thinking about leaving this place, and going home.

"Sure, we'll take you, hijito," Mr. Garcia said, patting Billy's head. "I just won't be able to take you all the way home because I have to get to work. But you can catch the bus right on 14th street above us."

The ride into town from the camp seemed interminable. Had he told Jimmy to tell them at camp that he was leaving? He thought so, but he wasn't sure. It didn't even matter to him. He just wanted get home.

Su hogar era una casita con dos cuartos de dormir, a una cuadra de la tienda de los González. Su mamá y su hermanita compartían un dormitorio y él compartía el otro, con sus dos hermanos. Pero había un lugar que era sólo de él, abajo, un rincón del viejo sótano, de piso de tierra. Ahí tenía un juego de tren, un serrucho, un martillo, unas cuantas tablas y clavos. Le gustaba mucho su espacio. De arriba, de la cocina, le venían aromas maravillosos y también, podía oír la música ranchera del radio de su mamá. Siempre tocaba música alegre. Casi no podía esperar.

—Allá están las escaleras para subir al puente— dijo el Señor García, cuando llegaron a la entrada, con el Chevy azul, sobre los bloques de madera. —¿Estarás bien? ¿Tienes dinero para el camión? ¿Sabes dónde debes bajarte?— le lanzó las preguntas, sin esperar respuesta a cada una.

—Si Señor, muchas gracias, muchísimas gracias— le contestó Willie. Se despidió y se fue, con su saco de ropa al hombro. El Señor García observó como la pequeña figura, de aspecto triste, comenzó a subir las escaleras del puente, acometiendo los escalones, de dos en dos a la vez. —Lástima que no pude llevarlo hasta su casa— se dijo el Señor García.

Willie sintió en el bolsillo, una de las monedas de veinte y cinco centavos, que le había dado su mamá, para que llevara dinero. Él sabía que camión tomar. Sabía donde tenía que bajar para tomar otro, y finalmente, sabía donde bajarse. Menos mal que había prestado atención cuando iba con Ángel, en el camión, al centro.

Andando hacia su casa desde la parada del camión, Willie se sonrió, pensando en la mirada sorprendida, de la cara de su mamá. Quizá se enojara un poco.

Home was a little house with two bedrooms, one block from The Gonzales Store. His mom and his little sister shared one bedroom and he shared the other with his two brothers. But there was a corner that was his in the old basement with a dirt floor.   He had a train set, a saw, a hammer, a few boards and nails. He liked his corner a lot. Wonderful smells from the kitchen overhead wafted there along with the ranchera music from his mom's kitchen radio.   She always played happy music. He could hardly wait.

"Over there are the steps to get up on the viaduct," said Mr. Garcia as they pulled into the driveway with the blue Chevy on blocks. "You think you'll be alright? You've got your bus fare? You know where to get off?" he asked without waiting for an answer.

"Yes sir, thank you sir, thanks a lot," Billy replied. He waved and started down the driveway with his duffle bag slung over his shoulder. Mr. Garcia watched as the forlorn little figure suddenly began to take the viaduct steps two at a time to reach the top. He was sorry he couldn't have driven him all the way home.

Billy felt in his pocket for one of the quarters his mom had given him for spending money. He knew which bus to take. He knew where to transfer and, finally, he knew where to get off. Good thing he paid attention when he went with Angel on the bus downtown.

As he walked home from the bus stop, Billy chuckled when he thought about the surprised look on his mom's face. She might be a little angry.

Pero la conocía. Sabía que ella iba a entender. No le tendría que decir todo. Pensó en lo que pudieran tener para la comida. Ya le parecía oler la comida cocinándose. Sabía que su hermanita lo iba a abrazar fuerte. Sabía que sería maravilloso estar en su casa.

Subió brincando las escaleras de la casa, e intentó abrir la puerta. Estaba cerrada con llave. Tocó el timbre y esperó impaciente. No vino nadie. Intentó el timbre otra vez. Nada. No estaba nadie. Quizá no habían llegado de la iglesia todavía. Nadie abrió la puerta. ¿Cómo iba a entrar?

Luchó por sacar la escalera del garaje. Finalmente, la pudo poner bajo las rejas de la ventana del comedor. Era difícil abrir la ventana entre las rejas. Sus brazos eran demasiado largos, para poder torcerlos, alrededor del herraje. Por fin, abrió la ventana; pero necesitaba mantenerla abierta. No veía nada que pudiera ayudarlo. Luego, tenía que escurrirse entre las rejas. Otro año y ya no podría hacerlo.

—Pero, el otro año, ya no voy a ir al campamento. Jamás voy a regresar— se dijo.

Otra empujada de la ventana hacia arriba, y pasó las rejas, en tanto que la hoja de la ventana, le cayó sobre la espalda. Se torció por el dolor; dio media vuelta para volver a levantar la ventana, y continuó empujando el resto de su cuerpecito, por entre las rejas. Era un acto difícil de balancear. Finalmente, con un último empujón, entró. Dio un brinco de la ventana al piso. Entonces, abrió la puerta principal, y salió a recoger su saco de ropa. También sabía que tenía que guardar la escalera.

Una vez que entró en la casa vacía, se fue de cuarto en cuarto. Seguro que no estaba nadie en casa. En el dormitorio, vio la maleta vieja de sus abuelitos. Esto indicaba que su mamá y su hermanita estaban durmiendo

But he knew his mom. He knew she would understand. He wouldn't have to tell her everything. He thought what they might have for dinner. He could already smell dinner cooking. He knew his little sister would throw her arms around him. He knew it would be great to be home.

When he reached the steps of the house, he bounded up them and tried the door. It was locked. He rang the doorbell and waited impatiently. No one came. He tried again. Nothing. No one was home. Maybe they weren't back from church yet. No one to open the door. How would he get in?

He struggled with the step ladder from the garage. Finally, the ladder was in place under the dining room window covered with bars. He struggled awkwardly to open the window through the bars. His arms were almost too long to maneuver around the bars. The window was finally open, but it needed propping up. Nothing in sight to hold it up. Next, he had to squish through the bars. In another year he wouldn't fit.

"But" he thought, "in another year, I'm not going to camp. I'm never going again".

Another push on the window upward and he was through the bars just as the window came down on his back. He wrenched in pain, twisted around to lift the window again and continued to push the rest of his little body through the bars. It was a tough balancing act. Finally, one last push and he was in. He jumped from the window ledge to the floor. He then opened the front door and went out to pick up his sleeping bag. He also knew he better put the ladder away.

Once inside the empty house, he went from room to room. For sure, no one was home. In the bedroom he saw the old suitcase his grandparents had brought. That meant his mom and his little sister were sleeping

en el sofa. Pero ¿dónde estaban? Dejó caer lentamente, en el piso su saco de ropa. Luego se desplomó, rendido, al lado de su saco.

—¿Dónde están, dónde están?— gritaba. La casa vacía, le daba eco a su triste llamada. Miró a su alrededor y sintió el silencio pesado. Al tragarse las lágrimas, se percató de que no había contado con regresar, y no encontrar a nadie. Una casa vacia no era del todo lo mismo.

on the couch. But where are they? He let his sleeping bag drop slowly to the floor in the middle of the living room. He then slumped down beside it, exhausted.

"Where are they, where are they," he called out. The empty house echoed his mournful cry. He looked all around him and felt the heavy silence. As he choked back tears, he realized he hadn't quite planned on this kind of homecoming. An empty house was not the same at all.

UN PEDAZO DE TORTA

Sus calzoncillos, antes blancos, colgaban ahora fríos, fláccidos y grises en la percha. El día gris de Cleveland, en marzo, sincronizaba perfectamente. Henry se sentaba a la mesa mirando, tristemente, una lata de spaghetti que había calentado. —Si pudiera evitar el desayuno, la comida y la cena, estaría bien— pensó. —Primero, ahorraría mucho dinero. Segundo, no tendría que sentarme a la mesa, y hablarme sólo, mirando la mala comida. Tercero, me podría deshacer de esto— se dijo, agarrándose un grueso rollo en la cintura. Con los años, su cabeza comenzó a verse sobre su cuerpo, como un pequeño corcho, en una botella de Mattheus. Su cráneo, por la falta de pelo, parecía haber sido parte de la erosión de proporciones. El pelo que le quedaba, colgaba como hilos bien definidos.

—Si estuviera Luisa, todo sería diferente— se decía. —Se fue así, nomás. Se acostó y se murió. Había dejado el congelador llenó de comida preparada. La casa estaba en orden, impecable como siempre. Si podría haber pensando como dejarla arreglada para toda la vida lo hubiera hecho. Como un servicio a casa, de Martha Stewart, Merry Maids y Ross Dress for Less. Luisa era así, y además, era cuidadosa con mi dinero. ¿Cómo la reemplazo?— le preguntó al silencio.

—¿Cómo?— su voz interior comenzó —Pues, la mejor manera, es con una mujer más joven. Te durará más. Pero te advierto, que te costará caro—.

—Óyeme, Henry— le dijo su otra voz, —cuantas chicas estarán por ahí, esperando que les ladees el sombrero y te inclines hacia ellas. Por una parte, tú, apenas te puedes doblar. Por otra, aquí las chicas, ni

A PIECE OF CAKE

His formerly white jockey shorts hung cold, limp and gray on the line. The gray March day in Cleveland synchronized perfectly. Henry sat at the table looking forlornly at the canned spaghetti he had heated. "If I could avoid breakfast, lunch and dinner, I'd be fine," he thought. "First I would save a lot of money. Second, I wouldn't have to sit at a table and talk to myself over bad food. Third, I might get rid of this," he said, grabbing the corpulent roll around his middle. Over the years, his head began to fit on his body like a small cork on a Mattheus bottle. His thinning hair had been part of the erosion of proportions. The hair he had left hung in defined thin strands as if it were glued for life.

"If Louise were here, it would all be different." he mused. "She just went. Like, she just lay down and died." Even then, she left him a freezer full of food and newly folded laundry. The house had been in impeccable order as always. If she had been able to figure out how to leave him fixed for life, she would have done it. Like a monthly delivery service from Martha Stewart, Merry Maids and Ross Dress for Less. "Louise was like that, plus she was careful with my money. "How do I replace her?" he asked the silence

"How?" began his inner voice, "Well, the best way is with a younger woman. She'll last longer. But I warn you, she'll be expensive."

"Sure, Henry," his other voice said, "just how many chicks will be out there waiting for you to tip your hat and bow to them. For one thing, you can hardly bend over. For another, young ones here wouldn't

sabrán lo que eso significa—.

—O.K. Henry, entonces piensa en un lugar, donde un caballero todavía haga reverencias, y el ladear el sombrero, tenga significado para las mujeres. Siii, adelante, piensa en ese lugar, o continúa comiendo spaghetti de lata, usando calzoncillos percudidos, viviendo con motas de polvo bajo la cama, y soportando el desorden sobre las mesas.

Se le ocurrió México, porque su amigo, Sam, se había casado con una Mexicana de Oaxaca. Según Sam, los hombres norteamericanos, eran un premio en México. —Las mujeres Mexicanas tratan a sus hombres como reyes. Guisan bien; blanquean tu ropa interior; quitan el polvo de las esquinas y te traen un vaso de agua, si estás mirando el partido de fútbol. Además, no resultan caras. Saben como estirar tu dinero— había concluido Sam.

Estirar el dinero, siempre había sido importante para Henry. Luisa había tratado de convencerlo de ser un poco más generoso con su dinero, porque bien se lo podía permitir. No tuvo éxito. Cuando Henry se enteró de cuánto costaba el boleto de avión a Oaxaca, casi se resignó al spaghetti de lata. Pero ganó su mejor lado, y poco después, se encontró en Oaxaca, en una mesa de los Portales del Zócalo. Su propósito estaba claro: encontrarse una esposa frugal y joven, que lo cuidara como lo había hecho Luisa, antes de su muerte inesperada.

Vio muchas jóvenes en el Zócalo, en su primera noche en Oaxaca. Pero, de alguna manera, se paseaban junto a él, hablando entre sí, acerca de un mundo que no lo incluía. Era como si su mesa, formara un capullo invisible. De vez en cuando, miraba más allá de su Corona y le sonreía a un grupo que pasaba. Nadie le devolvía la sonrisa.

know what it meant."

"O.k. Henry, so think of a place where chivalry is still pulsating with bows and tipped hats for the women. So-oo, go ahead; think of a place. Go ahead, either think of a place or eat canned spaghetti, wear graying underwear, have dust balls under the bed and clutter on the table tops."

Mexico occurred to him because his friend Sam had married a Mexican woman from Oaxaca. According to Sam, American men are a prize in Mexico. "Mexican women treat their men like kings. They cook good food; they bleach your underwear; they dust in corners and they'll bring you a glass of water if you're watching a football game. Plus, they're not expensive. They know how to stretch your money," Sam concluded.

Stretched money had always been important to Henry. Louise tried to teach him to be a little more fluid with his cash, since he could well afford it. She wasn't successful. When he discovered how much the plane ticket to Oaxaca cost, he almost resigned himself to canned spaghetti. But his better side prevailed and, not long after, he found himself in Oaxaca's main square at a sidewalk table. His purpose was clear: to find himself a thrifty young wife who would take care of him the same as before Louise's untimely departure.

There were plenty of young ladies in the main square his first night in Oaxaca. But, somehow, they seemed to stroll right past him, talking to each other with their eyes glancing around at a world that didn't include him. It was as if his table formed an invisible cocoon. Every once in a while, he would look beyond his Corona and smile at a passing group. No one smiled back.

No se sentía como un premio. Se sentía más bien, como una comida China, que sobraba en este país de los tamales.

—¿Una blusa, Señor? ¿You like blouse?—

Henry miro hacía arriba y vio a una joven, con unos dientes hermosos, que sonreía mirándolo. Sobre un brazo, llevaba varias blusas de brillantes colores. Sus manos sostenían otra blusa, mostrándosela, para su aprobación.

—No esposa, no wife— contestó Henry, encogiendo los hombros y poniendo las manos enfrente, palmas arriba en un gesto de indefensión. Después, de repente, las puso en postura de oración y reclinó la cabeza sobre ellas, con la cara vuelta hacia un lado.

— ¿Esposa durmiendo?— preguntó la joven, con una sonrisa maravillosa y ahora notó él, que lo miraba intensamente.

—No esposa, esposa dead, Fini. Caput— Henry cruzó las manos rápido, una sobre la otra, palmas abajo. De repente, le resultó importante, que ella entendiera que él estaba sin compromiso, y aun más, que él era un premio Norteamericano.

— ¿Cómo su nombre?— le preguntó, pensando a la vez, que hiciera ella con el desorden sobre las mesas.

—Mi name es Magda. I live en Ejutla, México. I am treinta y dos años,— contestó, sonando como una cinta de idiomas muy mezclada.

Su segunda noche en el Zócalo, le compró una blusa a Magda. Después llegó a ser un rito. Ella venía a su mesa y se reían porque escogía otro color, y compraba otra blusa. Hacía mucho tiempo que no se reía. Las blusas se estaban apilando en su habitación del hotel, y estaba agotando la selección de colores.

He didn't feel like a prize. He felt more like left over Chinese food in this land of tamales.

"Una blusa, Señor ? You like blouse?"

Henry looked up and a young lady with beautiful teeth was smiling down at him. On one arm, she had draped several brightly colored blouses. Her hands were holding another blouse for him to approve.

"No wife, no esposa" he replied, shrugging his shoulders and putting his hands in front of him, palms up in a helpless gesture. Then he suddenly put them together in the prayer position, and leaned his head on them to one side.

"Esposa sleeping?" the young woman asked, with a wonderful smile and now he noticed her huge brown eyes looking at him intently.

"No esposa. Esposa dead. Fini. Caput." Henry crossed his hands over each other quickly with the palms down. It was suddenly important to him she understand he was unencumbered and even that he was an American prize.

"Cómo su nombre?" he asked, thinking at the same time what she might do with, say, cluttered tabletops.

"My name is Magda. I live in Ejutla Mexico. I am thirty two years old." she replied, sounding like a well-played language tape.

On his second night in the Zócalo he bought a blouse from Magda. After that, it became a ritual. She came to his table and they laughed because he would pick out another color and buy another blouse. He hadn't laughed in a long time. The blouses were piling up in his hotel room and he was exhausting her supply of colors.

Después de dos semanas, él se las puso sobre el brazo y las bajó a su mesa habitual en Los Portales. Vino Magda, como siempre, sus dientes hermosos, brillando con las luces

—Aquí, Magda, tus blusas— le extendió el brazo con catorce blusas de colores.

Ella se quedó perpleja. —Oh, no, Señor. Usted pagó. ¿Problem?—

—No problem. Toma las blusas. Las vendes otra vez. Y después, ¿quizá lunch conmigo?— Ya. Le salió. Lo había dicho.

— ¿Lunch, comida?— Dijo ella, poniendo los dedos juntos hacia su boca. Él inclinó la cabeza afirmando.

Ella lo miró a los ojos largo rato, y luego, lentamente se sonrió. Almorzaron y después, más almuerzos, cenas al terminar ella su trabajo y salían a bailar hasta la madrugada. Ella tiraba la cabeza hacia atrás, y se reía, cuando él, con su cuerpo de pera, trataba de torcerse, entrando y saliendo de los mambos.

—Un, dos, tres— le contaba los pasos para la salsa, con el cuerpo de ella, moviéndose sin esfuerzo. Los pies de él, parecían estar atrapados en alguna profunda urdimbre cultural. Magda, nomás se reía y lo disfrutaba.

Cuando él le pidió que fuera su esposa, se le olvidó preguntarle si quitaba el polvo de las esquinas, si usaba blanqueador, o si le gustaba guisar. Él, sólo reconocía que su pulso tenía más vida, de la que había sentido en años. También sabía que estaba gastando mucho, y este pensamiento lo molestaba, como un fantasma de su pasado. Necesitaba regresar a su casa, que ya estaba pagada, y dejar de gastar tanto dinero. Pero quería llevar a Magda con él.

After two weeks, he draped them over his arm, took them down to his usual sidewalk table and waited. Magda came by, smiling as usual with her beautiful teeth sparkling in the lights.

"Here, Magda, your blusas." He held out his arm with the fourteen multi-colored blouses.

She looked puzzled. "Oh no, Señor. You pay. Problem?"

"No problema. You take blouses. You sell again. And, maybe, maybe you have lunch with me?" There it was out. He had said it.

"Lunch, comida?" She asked putting her fingers together toward her mouth. He nodded.

She looked at him directly for a long time and then slowly smiled. They had lunch and more lunches and then dinners after her work and dancing until early morning. She'd throw her head back and laugh when his pear shape tried to twist in and out of mambos.

"Un, dos, tres," she'd count his salsa steps as her body swayed effortlessly. His feet seemed caught in some profound culture warp. Magda just laughed and enjoyed him.

When he asked her to marry him, he forgot to ask her if she dusted corners, used bleach and enjoyed cooking. He only knew that he was pulsating with more life then he had felt in years. He also knew that it was getting expensive and this thought nagged him like a specter from his past. He needed to get to his home that was paid for, and stop spending so much money. But he wanted to take Magda with him.

Ella comenzó a hacerlo entender, que el proceso de casamiento en su pueblo de Ejutla, era complicado. Había costumbres que cumplir.

—No te preocupes. Mi padre, speak English. Trabajó en California cinco veces—.

Rodolfo, el padre de Magda, era como un cuero viejo, su cara del color del chocolate. Sus ojos miraban a Henry, como alguien que había visto mucho. Cuando Henry le dijo que quería casarse con su Hija, su primera pregunta fue —¿Vivirán acá?—

—No, tengo una bonita casa en Cleveland, Ohio, cerca de un gran lago—.

Rodolfo miró hacia el suelo, e inclinó la cabeza lentamente. Sabía lo que eso significaba. Magda existiría sólo en las cartas, algunas llamadas y una visita ocasional. Pero no se opondría, aunque Mari, su esposa, lloró, cuando él le explicó los planes para su hija.

—Bueno— dijo Rodolfo, resignado. —entonces hay que atender a las costumbres. Tiene usted que regresar aquí y entregarnos la torta—.

— ¿La torta?— preguntó Henry, perplejo.

—Pues, no es exactamente una torta. Pero es necesaria, cuando le pides la mano a una señorita de Ejutla. Es nuestra costumbre—.

—Si no es una torta, ¿entonces qué es?— preguntó Henry más confundido.

—Es un regalo para todos en el pueblo, porque todos vendrán a la boda y traerán regalos. Es su pedazo de la torta, pero no es verdaderamente una torta—.

—Pues, entonces ¿que es?— repitió Henry, mientras calculaba, mentalmente, cuántos habitantes podría tener el pueblo.

—Mari, trae la lista— Rodolfo inclinó la cabeza

She began to make him understand that the process of marriage in her village of Ejutla was a complicated one. There were customs to be observed.

"Don't worry. My dad, he speak English. He work in California five time."

Rodolfo, Magda's father was like old leather, his face the color of chocolate. His eyes watched Henry from a place that had been everywhere. When Henry told him he wanted to marry his daughter, his first question was, "Will you live here?"

"No, I have a nice house in Cleveland, Ohio near a big lake."

Rodolfo looked down at the floor and nodded slowly. He knew what that meant. Magda would exist only in letters, some phone calls and an occasional visit. But he wouldn't oppose, even though Mari, his wife, cried when he explained the plans for their daughter.

"O.K." Rudolfo said resolutely, "then let the customs begin. You must come back here and turn over to us the torta, the cake."

"The cake?" Henry asked, puzzled

"Well, it's not exactly a cake. But it is necessary when you ask a girl to marry you here in Ejutla. It is our custom."

"If it's not a cake, then what is it?" asked Henry confused.

"It's a present for everyone in the village because they will all come to the wedding and bring presents. It's their piece of cake but it's not really a cake."

"Well, what is it?" Henry repeated, mentally calculating how many villagers there might be.

"Mari, bring the list," Rodolfo nodded

hacia su esposa. Mari entró al otro cuarto, registrando en unos cajones y regresó con la lista.

—Cuando reúnas todo esto, y nos lo traigas, habrás entregado la torta, como se dice—.

—Pero ¿que es lo que debo reunir?— preguntó Henry, poniéndose más agitado.

—Para ser exactos— comenzó Rodolfo, con paciencia, —necesitaremos seis kilos de chocolate, seis gruesas de claveles, que son ochocientos sesenta y cuatro, seis gruesas de gladiolas, dos cartones de cigarrillos, dos medidas de mezcal, que son diez litros, dos canastas de pan, una con cien panes de yema, hechos con huevos y mantequilla, y una con cien panes de resobado, hechos con harina y agua, y finalmente, una larga vela decorada—.

Henry quedó boquiabierto. Respiró profundo. Sus ojos, dos veces del tamaño normal. —Pero ¿que van a hacer con todo eso?— preguntó –Su familia no lo puede usar todo—.

—Oh no, — dijo Rodolfo, con calma, —hacemos paquetes para cada persona del pueblo, porque todos vendrán a la boda. Es nuestra manera, o diríamos, su manera, de darles las gracias por los regalos que traerán—. La lógica de esto, se le escapaba a Henry, pero estaba determinado a seguir adelante.

Cuando iba en el avión a Cleveland, revivió la fiesta. El baile, con los regalos de la boda, se le quedó en la mente. Dos invitados trajeron guajalotes. Les amarraron las patas, bailando y dándose vueltas, con los animales colgados de su cuello. Los padrinos de bautizo, tradicionalmente, daban el ropero; los de Magda, ya tenían más de setenta años y se salvaron de la obligación de bailar con el ropero, porque Magda se iba al Norte.

to his wife. Mari went in the other room, shuffled through some drawers and returned with the list.

"When you get all this together and bring it to us, you will give us the cake or entregar la torta, as we say."

"But what is it I'm getting together?" asked Henry, becoming more agitated.

"To be exact," Rudolfo began patiently, "we will need six kilos of chocolate; six gruesas of carnations, that's twelve dozen or eight hundred sixty four; six gruesas of gladiolas, two cartons of cigarettes, two medidas of mezcal, that's ten liters; two baskets of bread, one with one hundred loaves of yema bread, which is made with eggs and butter, and one, with one hundred loaves of resobado bread made with flour and water; and lastly, one large decorated candle."

Henry gasped. He took a deep breath. His eyes grew twice their size. "But what do you do with all of that," he asked. "Your family can't use all of that."

"Oh no" Rodolfo said calmly, "we make packages for each person in the village because they will all come to the wedding. It is our way, or we should say, your way of thanking them for the presents they will bring." The logic escaped Henry but he was determined to proceed.

On the plane to Cleveland, he relived the fiesta. The dancing with the wedding gifts was still vivid in his mind. Two guests brought live turkeys. They tied the animals' legs, dancing and twirling with the turkeys around their necks. The baptismal godparents traditionally give the armoire. Magda's godparents were in their seventies and they were saved the fate of dancing with an armoire, because Magda was going to the States.

Cuando los padrinos no podían cumplir, se esperaba que pagaran a alguien, para que bailara con el ropero. La res para la comida de boda, que fue en barbacoa, se cocinó por dos días, con leña, en un hoyo, excavado con ese fin en la tierra. Los Mariachis tocaron hasta la madrugada, sin apenas quitarles el brillo, a los botones de plata, de sus disfraces de charro. Henry, recordaba el pueblo engalanado de guirnaldas, las caras sonrientes de la gente, el tapete rojo tendido hasta la entrada, y las lilas de la iglesia. Hasta el Niño Jesús de la iglesia sonreía, cuando el cura, calladamente, le dio las gracias a Henry, por su generoso donativo.

—Pues allá tú, con las mujeres mexicanas— se dijo Henry, mirando a Magda dormida, con la cabeza en su hombro. Pero él, bien sabía, que ella valía el costo de unos cuantos claveles, gladiolas, cigarrillos, un trago de mezcal, un pan de yema o de resobado y un poco de chocolate. Se rió calladamente consigo mismo, bien cierto que, a él, le había tocado, el mejor pedazo de la torta.

Otherwise, it was expected they hire dancers, if they were unable to do the dance themselves. The steer for the wedding feast, was roasted in a pit in the ground for two days. The Maríachis played until dawn without even faintly tarnishing the silver buttons on their smart black charro costumes. Henry remembered the village strewn with garlands; the smiling faces; the faded red carpet and white lilies of the church. Even the Niño Jesus statue seemed to smile when the priest quietly thanked Henry for his generous donation.

"So much for inexpensive Mexican women," mused Henry, as he looked down at Magda sleeping with her head on his shoulder. But he knew she surpassed a few carnations or gladioli, cigarettes, a shot of mezcal, some yema bread or resabado bread and a little chocolate. He laughed quietly to himself, certain that his piece of the torta was the best of all.

EL SEÑOR CHEN A LO LATINO

Nadie sabía como llegó el Señor Chen a Oaxaca. De donde vino o como llegó, es probable que nunca se supiera, porque nadie se lo preguntó. Parecía un milenio antes de que se inventaran el programa Lotus y las computadoras que él había sido el contador del Señor Flores. El Señor Flores era dueño de una gran tienda de telas en el Zócalo, y también del Hotel Pacífico. Su oficina quedaba a un costado del Zócalo. El Señor Chen fue una presencia constante en el escritorio, cerca de la ventana que daba a la acera. A menudo ya oscurecido, seguía ahí, diligentemente doblado sobre el libro de cuentas, nunca distraído por los transeúntes. Cuando el Señor Flores vendió sus negocios, al Señor Chen le correspondió una pensión modesta, como recompensa por sus muchos años de concienzudo estar cuadrando los números, tantas mañanas, días sin número y noches a destiempo.

El mismo mes que se retiró, el Senor Chen, se unió al Centro de la Tercera Edad en la comunidad. Cuando llegó al Centro, preguntó como se matriculaba uno. Les indicó que le interesaban las clases de baile. En el formulario, escribió que vivía solo y que no estaba casado. La secretaria del Centro quedó sorprendida cuando leyó su formulario. Ella lo había visto con frecuencia en el Zócalo durante los domingos de concierto. Lo acompañaba una pequeña mujer indígena, que siempre usaba el mismo vestido acafetado, pasado de moda, con mangas de globo y cuello de encaje. Se sentaba acurrucada al lado del Señor Chen, no tanto por afecto, según parecía, sino por terror al encontrarse en un lugar público. En esas ocasiones, el Señor Chen, según parecer

MR. CHEN GOES LATIN

No one quite knew how Mr. Chen got to Oaxaca. Where Mr. Chen came from or how he got there would likely never be known, since no one ever asked. It seemed a few millenniums before Lotus Spread Sheets on computers, that he had been the accountant for Gonzalo Flores. Mr. Flores owned the huge fabric store on the Zócalo, as well as the Hotel Pacifico. His office faced a side street off the main square. Mr. Chen had been a fixture at the desk near the window to the sidewalk. Often, it was dark and he was still there, assiduously bent over a ledger book, never once distracted by the passersby. When Mr. Flores sold the businesses, he assigned Mr.Chen a modest monthly stipend as a reward for his many years of conscientious squaring of numbers early mornings, countless days, and late nights.

The very month after he retired, Mr. Chen joined the Seniors at the local Community Center. When he arrived at the Center, he inquired as to the registration procedures. He indicated that he was interested in dancing classes. On the application, he stated that he lived alone and he was unmarried. The secretary at the Center was quite surprised when she read his application. She had often seen Mr. Chen at the Sunday band concert in the Zócalo. He was accompanied by a small Indian woman, who always wore the same brown old-fashioned dress, with puffed sleeves and a white lace collar. She sat huddled next to Mr. Chen, not out of affection, it seemed, but out of terror at being in such a public place. On those occasions, the secretary noticed, Mr. Chen

de la secretaria, no le hacía caso a la criatura sentada a su lado. Simplemente miraba delante de él, escuchando intensamente la música de la Orquesta del Estado, instalada bajo los gigantescos árboles de laurel.

En el Centro de la Tercera Edad, el Señor Chen se inició con una clase de salsa. La secretaria podía ver al grupo desde su escritorio y observó que el Señor Chen nunca perdía una clase. Sus pies seguían a la instructora fielmente. Un dos tres, un dos tres. Su cara era un estudio de concentración estoica. La instructora, una dama de amplias caderas con carita de muñeca de pastel, mostraba su sonrisa dientuda y amable. Lo jalaba de la línea para mostrarle un paso, mientras él continuaba con el mismo estoicismo orgulloso. Su cabeza hacia el cielo y los brazos tiesos, uno en el hombro y el otro alrededor de la cintura de su instructora.

En aproximadamente ocho semanas, el Señor Chen se graduó para ingresar a la clase de tango. También se matriculó en Salsa II, la cual consistía en vueltas sin numero, y doblando los pies al básico un, dos, tres. En fin, el Señor Chen pasaba las mañanas enteras moviéndose con la música Latina en el Centro de la Tercera Edad. Era un esfuerzo serio. Escuchaba cada palabra que emitía la muñequita de pastel, sin sonrisa, como si necesitara cuadrarlo todo en números musicales.

Quizás la instructora fue la más sorprendida la mañana que el Señor Chen llegó listo para la clase, con un disfraz completo de bailador de tango. Llevaba un par de zapatos puntiagudos, de cuero relumbrante con cordones. Sus pantalones muy bien cortados, hechos de gabardina negra pegadísimos a la figura, con cintura alta que daba énfasis a su delgadez elegante. Su camisa era blanca, con mangas largas y entalladas, cuidadosamente almidonada y

paid no attention to the creature at his side. He simply stared straight ahead, intently listening to the music of the State Orchestra under the huge laurel trees.

At the Senior Center Mr. Chen started with salsa classes. The secretary could see the group from her desk. She observed that he never missed a class. His feet followed the instructor faithfully. Un dos tres, un dos tres. His face was a picture of stoic concentration. When the instructor, a toothy, dark-haired dumpling of perhaps, forty-five laughingly pulled him out to demonstrate a step he obliged with the same proud stoicism. His head held high and his arms stiff on her shoulder and around her waist.

In approximately eight weeks, Mr. Chen graduated to the tango class. He also enrolled in Salsa II, which consisted of countless twirls and twists with his feet to the basic un, dos, tres. In short, Mr. Chen spent his entire mornings moving to Latin music at the Senior Center. It was a serious endeavor. He listened to every word from the Dumpling without smiling as if he needed to square off the musical numbers.

She was, perhaps, the most surprised when one day Mr. Chen appeared ready for class in complete dancing "costume". On his feet were a pair of shiny, patent leather tie shoes with pointed toes. His pants were carefully tailored and fitted black gabardine with a high black waist band, that emphasized his elegant slimness. His shirt was white with long puffed sleeves, neatly starched and

planchada. El resto de la clase se quedó atónita cuando él entró. No pareció afectarle la reacción de sus compañeros de baile. Aún más, presumió la postura orgullosa de un matador, y no de un bailador. Echó una mirada alrededor del cuarto con su barbilla bien levantada, y luego se fue a la esquina, para ensayar sus pasos nuevos, hasta que la muñequita de amplias caderas cambió su dientuda sonrisa por voces de mando, para que la clase formara su línea de baile. Su disfraz de él era su uniforme para la clase y su postura se destacaba aún más cuando bailaba con su barbilla en el aire. Como si las clases de salsa eran sus píldoras de postura.

La secretaria al verlo pensaba: —pobrecito, esta pose es sólo para dar equilibrio, a todos esos años que estuvo doblado sobre el escritorio, cuadrándole los números al Señor Flores—. El Señor Chen le caía bien. Le admiraba que a él, no pareciera preocuparle lo que pensara el resto de la clase. El se exigía a si mismo y la dientuda instructora no era más que un accesorio.

Cuando la secretaria recibió anuncio de la Oficina de Turismo de que iban a patrocinar una competencia de tango en el Zócalo, ella inmediatamente pensó en el Señor Chen. Los de la Tercera Edad estaban cordialmente invitados a participar. Se iba a construir una plataforma de madera para bailar, al lado de la Catedral, y cada pareja interpretaría su baile por tres minutos, sobre el escenario improvisado. Era el único que ya tenía la ropa adecuada. Pero, ¿y su pareja? Él necesitaba una pareja.

—Oh no,— le dijo la muñeca de pastel a la

pressed. The rest of the class stood gaping as he walked in. He didn't seem at all affected by the reaction of his salsa mates. In fact, he assumed the proud stance of a matador, not a dancer. He looked around the room with his chin held high and then went off to a corner to rehearse his newest salsa steps until the dumpling lady asked the class to form their salsa line. The costume became his uniform for dance class and his posture became even more pronounced when he danced with his chin held high. It was as if the salsa classes were his posture pills.

The secretary thought to herself: "Poor Mr. Chen, it's only to make up for all those years of being hunched over a desk, crunching Mr. Flores's numbers." She liked Mr. Chen. She admired how he didn't seem concerned with what the rest of the class thought. He was his own task master and the dumpling lady was a mere accessory.

When the secretary got the announcement from the city's Tourist Office, that they would sponsor a tango competition at the Zócalo, she immediately thought of Mr. Chen. The Seniors were cordially invited to participate. A wooden dance platform would be erected on the side of the cathedral and all the couples would perform for three minutes each, on the improvised stage. Mr. Chen was the only one who already had the proper attire. But what about a partner? Mr. Chen needed a partner.

"Oh no," said the dumpling lady to the

secretaria, —mi esposo y yo estaremos en la competencia; no podré bailar con el Señor Chen y competir contra mí misma. Claro que usted comprende,— dijo centellando su sonrisa dientuda. Se volvió valseando hacia la clase de tango, dándoles con cada paso, efímera vida a las rosas gigantescas de su vestido blanco.

—Señor Chen—, dijo la secretaria con cuidado, cuando se acercó a él antes de la clase. —¿Le gustaría representar a los de La Tercera Edad en la competencia de Tango en dos semanas? La Oficina de Turismo quiere que mandemos de los nuestros, y como usted ya tiene un disfraz tan bonito—.

—Oh, gracias, gracias, gracias—, dijo el Señor Chen, doblando la cabeza con cada repetición. —Bien, si, bien, bien. Yo bailo tango. Diga fecha y hora y yo estoy—. Estaba erguido y sin sonrisa. Ella sabía que podía contar con el.

—Tiene una pareja, Señor Chen?—

—Oh sí, gracias, gracias—, contestó con nuevas reverencias antes de asumir su perfecta postura de tango, con los brazos extendidos a los lados, la cabeza hacia arriba, listo para escuchar las instrucciones de la dientuda muñequita de pastel.

—Pues, probablemente, le ha estado enseñando a la mujer que he visto con él, en el Zócalo todo este tiempo— pensó la secretaria. La idea de la pequeña mujer indígena aprendiendo tango con el Señor Chen, la hizo sonreír con ternura.

La noche de la competencia, la secretaria estaba entre el público, cuando la dientuda instructora y su esposo se deslizaron, al cruzar la plataforma. Mientras bailaban otras parejas, ella comenzó a buscar al Señor Chen, entre el público. Entonces, lo vio con la mujer indígena.

secretary, "my husband and I will be entering the competition and I can't dance with Mr. Chen and compete against myself. You understand, of course," she said, flashing a toothy smile. She waltzed off to the tango class with each step bringing instant life to the large pink roses on her white dress.

"Mr. Chen," said the secretary warily, as she approached him before class, "Would you like to represent the Seniors at a Tango competition in the Zócalo in two weeks? The tourist office wants us to send some of our people to the competition and since you already have such a nice costume."

"Oh, thank you, thank you, thank you," said Mr. Chen, bowing his head with each repetition. "Fine, yes, fine, fine. I dance Tango. Tell me date and time and I be there." He was earnest and unsmiling. She knew she could count on him.

"Do you have a partner, Mr. Chen?

"Oh yes, thank you, thank you," he replied with more bows before assuming his perfect Tango stance with his arms outstretched to the sides, head held high, listening for dumpling instructions.

"Well, he's probably been teaching the lady I've seen him with in the Square all this time, "thought the secretary. The idea of the tiny Indian lady, learning tango with Mr. Chen made her smile.

The night of the competition, the secretary was in the audience as the dumpling lady and her husband glided across the wooden platform. While several other couples danced, she began to look in the audience for Mr. Chen. Then she saw him with the Indian lady.

Estaba con sus pantalones negros de tango y la camisa almidonada, blanca, con las mangas entalladas. La mujer usaba su sencillo traje acafetado, con el cuello de encaje. Cuando anunciaron su nombre, él se paró, y le tomó la mano. Ella se puso de pie muy lentamente y de pronto se sentó otra vez, cubriéndose la boca con las manos. El Señor Chen le rogaba, pero ella seguía sentada, ocultando tras las manos su risita, demasiado apenada para continuar.

De pronto, él la dejó sin insistir más; se acercó al director de la orquesta y le susurró algo en el oído. El director anunció entonces, que el Señor Chen iba a dar una exhibición de los últimos pasos de tango. Él, con una mirada muy seria, asumió su postura perfecta, y se deslizó al centro del escenario, para esperar el primer compás de la orquesta. Cuando comenzó la música, elevó la barbilla hacia arriba, su cabeza muy alta y sus brazos extendidos. En tanto, se deslizó sólo por el escenario. Parecía un anuncio de almidón bailante. Durante su presentación, la pequeña mujer indígena bajó las manos de la cara sólo lo bastante para una risita de deleite, mirándolo a través de los dedos.

Con el aplauso del público, el Señor Chen inclinó la cabeza. La secretaria creyó notarle una sonrisa. –Gracias, Gracias—. De pronto, él se acercó a la pequeña mujer; la tomó de la mano tiernamente para que se parara a su lado, mientras él, se inclinó hacia el publico una última vez, —gracias, gracias—.

He was in his black tango pants and the starched white shirt with the puffy sleeves. The Indian lady wore her plain brown dress with the lace collar. When they called his name, he stood up and took her hand. She stood up very slowly and then suddenly sat down again, covering her face with her hands. Mr. Chen was pleading with her, but she just sat there giggling, too embarrassed to proceed.

Suddenly, Mr. Chen left her without further urging, went up to the orchestra director and whispered something in his ear. The director announced then that Mr. Chen would do a solo exhibition of the newest Tango steps. Mr. Chen, with a very serious look on his face, assumed his perfect posture and glided to the middle of the stage to await the orchestra cue. When the music started, he held his chin up, his head very high and his arms outstretched as he glided all by himself across the stage. He resembled a dancing starch advertisement. During his performance, the little Indian lady lowered her hands from her face just enough to uncover her eyes. She watched fascinated, and then, suddenly, covered her mouth as she giggled with delight.

As the audience applauded, he bowed his head. The secretary thought she noted a little smile on Mr. Chen's face. "Thnk you, Thank you." Suddenly he walked toward the little Indian lady, gently took her hand to stand beside him, as he bowed one last time, "Thank you, thank you."

MI CASA

—Pues, ya llegué a mi casa; ahora, puedes regresar a la tuya. Gracias por haberme traído—. El viejito se quitó su sombrero y lo colgó cuidadosamente en el gancho, al lado de la puerta de adelante. Los hombros de su hijo se encogieron, cuando llevó la vieja maleta café de su padre a la recámara. Suspiró profundo, cuando la puso sobre la cama, para desempacar. Su voz sonó resignada y cansada al hablar:

—Papá, yo no sé como se puede quedar aquí solo. Yo sé que no quería dejar su casa. Pero yo vivo a cuatro horas de distancia y no puedo venir todos los días. Usted sabe que sería bienvenido con nosotros si sólo fuera mi decisión, pero espero que entienda que tengo que tomar en cuenta la opinión de mi esposa. Ella probablemente tiene razón. Nuestra casa no es bastante grande para todos—.

—Mi hijo, vete a tu casa sin preocupación. La Gloria vive a la vuelta y ella vendrá a verme y ayudarme, en cualquier momento que lo necesite. Tu hermana siempre ha sido la mejor hija que cualquier padre pudiera pedir.

—Papá, yo, yo no sé que decir. Yo pensé que había encontrado en Denver, una buena casa de ancianos para usted. Estaba cerca de la casa y le podría haber visitado todos los días, después del trabajo. Usted sabe que yo creí hacer lo mejor para usted—.

—Lo mejor, mi hijo, es haberme traído a mi casa. Perdona que tendiera esta trampa para ti, al decirte que tenía que recoger algunas cosas, pero ahora que estoy aquí, aquí me quedo. Este es mi hogar y tú puedes regresar al tuyo sin preocuparte más. Estaré...— El viejito miró hacia la puerta delantera por donde entraba su hija, Gloria.

MI CASA

"Well, now, I'm home and you can go back to your house. Thanks for bringing me." The old man took off his hat and carefully placed it on the hook next to the front door. His son's shoulders sagged as he carried his dad's brown suitcase with the worn edges into the bedroom around the corner. He sighed as he lifted it on the bed, ready for unpacking. His voice was resigned and tired, when he spoke.

"Dad, I don't see how you can stay here by yourself. I know that you don't want to leave your house. But I'm four hours away and I can't come by every day. You know that you would be welcome to stay with us if it were just up to me, and I hope you understand that I have to consider my wife's feelings. She's probably right that the house isn't big enough for all of us."

"Mi hijo, you go on home without worrying. Gloria is right around the corner and she will look in on me and help me anytime I need it. Your sister has always been the best daughter any dad could hope for."

"Dad, I, I don't know what to say. I thought that I had found a good nursing home for you in Denver. It was close to the house and I could have visited after work. You know, I thought I was doing the right thing for you."

"The right thing, mi hijo, was bringing me home. I'm sorry I sort of tricked you by telling you that I had to pick up some things, but now that I'm here, this is where I will stay. This is home and you can go back to yours without any more worrying. I'll be just ..." The old man's eyes looked toward the front door as his daughter, Gloria, entered.

—¿Gloria, mi hijita, como sabías que estaba aquí?—
—Por el coche en la calle. Además, Alfonso me llamó
para decirme que te traía, para recoger algunas cosas. Pero
no te regresas, ¿verdad, Papi? Lo noto en tus ojos. Te quedas,
¿verdad? — Se acercó a su papá y le dio un fuerte abrazo.
Su hermano la miró directamente. —Como vas a hacerlo,
con todo lo que tienes que hacer por tu familia. No me lo
imagino. Lo único que sé por cierto es que él,
definitivamente, no quiere regresar a la casa de ancianos que
le encontré en Denver, a dos cuadras de mi casa—.

Gloria se sonrió y acarició el hombro de su hermano.
—No te preocupes, regrésate si tienes que hacerlo. Estaremos
bien. Lo más importante es que Papi está donde quiere
estar—.

No siempre había estado donde quería. La llamada
al servicio militar en la Segunda Guerra Mundial, lo había
arrancado de un tirón, de su pequeña granja y lo había puesto
en Francia, en la playa de Normandía, así un joven de veinte
años. Buena parte de su juventud la paso en el sur de Francia,
peleando con los alemanes, y a veces, matando a franceses
inocentes en el proceso. Había tenido pesadillas, por mucho
tiempo después. Pero, regresó intacto. Su familia y su porción
de tierra para escarbar, eran el contrapunto a las pesadillas.

Sin embargo, había aprendido a luchar y supo lo
que tenía que hacer, cuando los granjeros gringos en el
pueblo cercano, construyeron un canal, que les trajo a
ellos primero, el agua de la presa, para su cosecha. Fue
con sus hermanos en el silencio de la noche y le pusieron
dinamita a la presa, para que el agua se volcara por todos
lados. Los granjeros gringos trataron de arrestarlos pero

"Gloria, mi hijita, how did you know I was here already?"

"I saw the car coming down the road. Besides, Alfonso called to tell me he was bringing you to pick up some things. But you aren't going back, are you, Papi. I can see it in your eyes. You're staying here, aren't you?" She walked over and threw her arms around him. His son looked at Gloria, directly. "How you are going to manage with your own family to think about, I don't know. The only thing I know for sure, is he definitely does not want to stay in the Denver nursing home. I found for him two blocks from my house"

Gloria smiled and patted her brother's shoulder. Don't worry, go on back, if you have to. We'll be fine and we'll manage. The main thing is that Papi is where he wants to be."

Papi-Vicente hadn't always been where he wanted to be. The draft in World War II had plucked him from his plot of farmland and placed him on Normandy Beach as a young man of twenty-one. The prime of his youth was spent in southern France trying to rout out the Germans and sometimes killing innocent French civilians in the process. He had nightmares for a long time afterwards. But, coming back in one piece, having a family and his piece of land to farm were counterpoints to the bad dreams.

He had learned to fight, though, and he knew what to do when the Anglo farmers in the next village built a canal that brought the water from the dam to their crops first. He went with his brothers in the dead of night and dynamited the dam so that the water spilled every which way. The Anglo farmers tried to have them arrested, but

no pudieron probar nada y nadie habló. El silencio era clave. Cuando les preguntaban, nadie sabía nada.

También luchó cuando cerraron los caminos para llegar a la leña de las montañas. El derecho de cortar leña había sido parte del tratado de las tierras concedidas por el Virrey, a los primeros pobladores de la región, cuándo esta parte de Colorado, aún era México. Se suponía que este derecho era transmisible a los herederos de los pobladores, cuando México le vendió las tierras a los Estados Unidos, bajo el Tratado de Guadalupe Hidalgo. Pero un señor del Este, demasiado codicioso para compartir, había comprado estas tierras en 1970, y cerró los caminos de acceso, para la recogida de leña. Vicente reunió a sus vecinos un día del otoño, y se fueron con las camionetas llenas de gente, quitando todas las barreras hacia la leña, a todo lo largo del camino. Pero la lucha continuó, hasta que Vicente envejeció demasiado, y no pudo suscitar más a sus vecinos.

Dos días después de llegar Vicente con su hijo, Gloria lo encontró apagando un fuego en el fregadero. Había cocido unos huevos y usó un trapo para agarrar el sartén. Cuando llegó Gloria, estaba dejando correr el agua sobre el trapo quemado. Después de eso, ella venía todas las tardes, para que él cenara con su familia, o le traía un plato de comida, que le había preparado. Por su cuenta, él podía hacer avena precocida, fruta, pan tostado, y quizás una torta, para el almuerzo. Siempre venía alguien de visita, tal vez uno de los sobrinos que todavía trabajaba las tierras de la familia, o uno de sus nietos, que venía después de la escuela, desde la parada del camión, camino a casa. A veces, él estaba despertando de una pequeña siesta, pero siempre agradecía las visitas. La familia le convenció para que dejara de manejar, cuando tuvo dos

they couldn't prove anything and nobody would talk. Silence was key. When asked, no one knew anything.

He had fought too when the wood gathering access roads were closed. The right to gather wood had been part of the land grant given to the early settlers by the Viceroy of Mexico when this part of Colorado was Mexico. It was to be passed down to the heirs of the settlers when Mexico ceded the land to the United States under the Treaty of Guadalupe Hidalgo. But an easterner, too greedy to share anything, had bought the land in 1970 and closed the access roads for wood gathering. Vicente gathered his neighbors one brisk fall day and they went in truckloads, tearing down all the barriers to their wood along the way. The new owner was smart enough not to try to stop them at that time. But the battle was ongoing until Vicente got too old to rouse his neighbors anymore.

Two days after Vicente's arrival with his son, Gloria found him fanning out a fire in the kitchen sink. He had cooked some eggs and used a dishtowel to grab the skillet. When Gloria arrived, he was running water on the charred dishtowel. After that, she either came to get him every evening for dinner with her family, or she brought him a plate of food she had prepared. On his own, he could handle instant oatmeal, fruit and toast and, perhaps a sandwich for lunch. Somebody always stopped by, one of his nephews who still farmed part of the family farm, one of his grandchildren would come from the bus stop, after school on the way home. Sometimes he was just waking up from a short nap but he was always thankful for visitors. His family convinced him to give up driving when he had two

accidentes en una semana. Los dos eran su culpa. Por fin, estuvo de acuerdo y pasaba los días en su casita llena de sol, haciendo las cosas que hacen las personas cuya tarea está ya casi acabada.

Gloria vino una mañana y lo encontró sobre el piso del baño. Se había levantado en la madrugada y no recordaba que fue lo que le pasó. Se quedó sobre el piso, sin poder levantarse, hasta que ella lo encontró. Se había dislocado la cadera, y se la reconstruyeron con tornillos y bastante aptitud.

—Papi, no puedes quedarte aquí solo—, anunció Gloria, poco después. —Tienes que venir a vivir con nosotros. No voy a dormir pensando que esto puede pasarte otra vez—. Ella supo que él no quería usar su bastón de tres pies. Esto significaba estar vencido. También se sentía vencido yendo a vivir con su hija. La quería muchísimo, pero necesitaba su independencia.

—Gloria— comenzó lentamente, —mañana quiero que me lleves a la Casa de Ancianos en Maneo. Sabes que dos de mis primos, Jacobo y Eliseo están ahí. Creo que no me molestará estar con ellos, hijita. De verdad que no quiero vivir contigo. Necesito sentir que, de alguna manera, todavía vivo por mi cuenta. Yo sé que tú harías todo por mí y tú sabes, que yo también por ti, pero…—

La mudanza a la Casa de Ancianos de Maneo le pareció mas traumática a Gloria que a su papá. Él, por lo menos a la vista, estaba muy alegre cuando lo acomodaron. Se llevó su sillón favorito. Gloria le compró pijamas nuevas, una bata y unas zapatillas. Ella lo miraba de reojo, cuando estaba marcando sus cosas con el lápiz indeleble. El buscó a sus dos primos. Se fue por el pasillo, a presentarse con las enfermeras en su estación. Habló con todos los residentes que podían hacerlo.

accidents in one week. Both were his fault. He finally agreed and passed the days in his sunny little house doing what all people do whose work is mostly over.

One morning, Gloria found him on the floor of the bathroom. He had gotten up in the middle of the night and didn't remember what happened. He lay on the bathroom floor until she found him. It was his hip and they put it back together with screws and considerable skill.

"Dad, you can't stay here anymore alone," Gloria announced not long afterwards. "You've got to come and live with us. I won't sleep thinking something like this could happen to you again." She knew he was reluctant to use the walker. That was really defeat. He also felt defeated going to live with his daughter. He loved her very much but he knew how much he needed his independence.

"Gloria," he began very slowly, "tomorrow, I want you to take me to the nursing home over in Maneo." I think I wouldn't mind being there. You know, a couple of my cousins, Jacobo and Eliseo are there. Hijita, I really don't want to come and live with you. I need to feel that, somehow, I'm still on my own. I know that you would do anything for me and you know I would do the same for you, but..."

The move to the nursing home in Maneo seemed more traumatic for Gloria than for her dad. He was, at least on the surface, very cheerful as they settled him in. He took his favorite chair. Gloria bought him new pajamas, a robe, and slippers. She kept watching him out of the corner of her eye as she marked his things with the laundry marker. He found his two cousins. They had all grown up together. Then he went down the hall and introduced himself to the nurses at the nurse station. He talked to any residents in his hallway, who were talkable.

Después, volvió a sentarse en su sillón y se puso a mirar por la ventana. Se quedó callado un largo rato y finalmente dijo –Mira, aquí donde me ves, tengo mucha suerte, Gloria. Puedo ver a ese granjero escarbar su parcela de alfalfa desde mi ventana. Si tiene más suerte que la mía, algunos años, tendrá bastante lluvia para tres cortadas y una buena pila de zacate. Y yo, tengo un asiento en la primera fila, para cuidarlo—.

No pasó mucho tiempo, cuando sonó el teléfono de Gloria, apenas aparecía el sol sobre las montañas, esas montañas que cambiaban de colores, del gris, al azul, hasta el morado a lo largo del día. Siempre estaban ahí, como centinelas para los pueblos y sus tierras de cosecha.

—Aló, aló— dijo Gloria, utilizando esta expresión, para aclarar el sueño de su voz.

—Aló. Mi hijita?—

—Papi, ¿que pasa? ¿Estás bien?— Gloria preguntó, con una nota de pánico en su voz; pero recapacitó que si algo grave estuviera pasando, serían las enfermeras las que harían la llamada. En esos cuantos segundos pensó que recibir una llamada de la enfermera, sería como un balde de plomo sobre su cabeza. Iba a ocurrir. Ella sabía de cierto que vendría. Pero ahora, afortunadamente, era la voz de él. Esa voz tierna, cariñosa, que en el pasado la calmó cuando se cayó del caballo. Era muy pequeña. Él la subió nuevamente, con ternura, sobre la silla del animal, para que no le quedara el miedo. La misma voz que le explicó calladamente, por qué era importante mantener su pedazo de tierra, aún en los años de sequía. Era el pedazo de tierra de la familia. Había venido desde los abuelos de él. Su voz la calmó en pesadillas, en asuntos de la escuela, en el día de su boda, antes de tomarla del brazo para llevarla al altar. Ella

Afterwards, he came back to sit in his chair and look out the window. He was quiet for a long while and finally he said, "Look over here, Gloria, I'm very lucky. I get to watch that farmer plow his alfalfa field from my window. If he's luckier than I have been some years, he'll get enough rain for three cuttings and a good pile of hay. And I've got a seat in the first row to watch him."

A short time later, Gloria's phone rang just as the sun was coming up over the circle of mountains in the distance. These mountains changed colors from gray to blue to purple in the course of a day, but they were always there, like sentinels for the villages, and their farmlands.

"Hello, Hello," Gloria said, using the sound to clear the sleep from her voice.

"Hello. "Mi hijita?."

"Papi, what's wrong? Are you o.k?" Gloria asked, a note of panic in her voice, but then she realized if something were wrong, the nurses would be calling. In those few seconds, she thought how she would fill with lead when she got that call from the nurses. It would come. She knew it would surely come. Now it was his voice. That soft caring voice from her past that soothed her, when she fell from the horse. She was very small and he lifted her gently back on the saddle so that the fear would not remain. The same voice that explained to her quietly, why it was important they keep the farmland, even in the drought years. It was the family's piece of the earth. It had come to them from his grandparents. His voice had soothed her through bad dreams, through school trysts, through her wedding day, before he took her on his arm down the aisle. She

205

recordó lo orgulloso y guapo que estaba ese día. Vió sus lágrimas, cuando la dejó al lado de su esposo en el altar y volteó, para sentarse en la banca. Nunca había visto a su padre llorar.

—¿Papi, qué te pasa; estás bien? ¿necesitas algo? — preguntó ahora en el teléfono.

—Si, estoy bien. Me cuidan bien. No te preocupes. Nomás estaba pensando, no falta nada para que llegue el invierno. Pero—mi hijita,—se me ocurrió, ¿necesitas leña? Estaba pensando en ensillar el caballo para ir al monte y cortarte un poco de leña—

Que raro, pensó Gloria, para si misma, ¿el caballo? ¿y luego leña? ¿Por qué iba yo a necesitar leña? si nunca hemos tenido chimenea ni estufa para quemarla. La envolvió el pavor como una niebla.

Por un ratito no pudo hablar, después tragó saliva con dificultad y le contestó, forzando un tono despreocupado —Todo está o.k. Papi. Creo que tenemos todo para este invierno. ¿Ya te dieron el desayuno?—.

remembered how proud and handsome he looked that day. She saw his tears as he left her with her husband at the altar and turned to take his seat in the pew. She'd never seen Papi cry before.

"Papi, que pasa, are you o.k.?" she asked now into the telephone.

"Si, I'm o.k.. They take good care of me. Don't worry. I was just thinking, it won't be long before winter. But – mi hijita, – I was wondering – I was just wondering, do you need firewood? I was thinking of saddling the horse and going to the mountain to cut some wood."

How strange, Gloria thought to herself, the horse?, and then wood? Why would I need wood? We've never had a fireplace, or a wood burning stove. Dread enveloped her like a setting fog.

She couldn't speak for a few seconds. Then swallowing with difficulty, she forced her voice to sound unconcerned, "It's o.k., Papi. I think we're o.k. for this winter. Did they give you your breakfast yet?"

PACHAMAMA

Pachamama era un nombre raro para una Sueca. Su nombre verdadero era Gudrun, pero todo el mundo la conocía como Pachamama, o madre tierra. Era alta, con grandes huesos, como una mazorca gigantesca con el pelo como jilotes hechos bucles, que le venían hasta los hombros. Sus manos grandes, como de hombre, tenían la habilidad de hacer trabajos detallados, bien fueran aretes de abalorios, o sombreros maravillosos de crochet de rafia, o cerámica con diseños suecos en azul cobalto. La vida de Pachamama era una serie de continuos esfuerzos a tope. Cualquiera de sus proyectos, hubiera quebrado a un ser humano de menores proporciones. Un día, era hora de arar el medio acre de jardín. El día siguiente podría ser el día para estucar una pared, en la casa de paja, que estaban construyendo ella y Bob.

Alguien del pueblo había sugerido que Pachamama y Bob fueran los capitanes del desfile el día cuatro de julio, día de la Independencia. Pachamama podría estar enfrente con un tocado vikingo y Bob la podía seguir, empujando una carretilla. Se daban muchas carretillas en la zona, pero vikingos eran escasos en el Sur de Colorado. Ambos, Pachamama y Bob, eran criaturas nada comunes en un pueblecito donde la mayoría de sus vecinos hablaban español y habían estado en el área seis o siete generaciones. La gente se había estirado un poco, para acomodar los ojos del Buda que Pachamama había pintado sobre su puerta. Ahora los miraban, al Buda, a Pachamama, y a Bob, como naturales en su entorno, con rutinaria aceptación. Los vecinos los encontraban no sólo inofensivos, también generosos y llenos de bondad.

Bob, su compañero, había estado con ella desde

PACHAMAMA

Pachamama was a funny name for a Swede. Her real name was Gudrun, but everyone knew her as Pachamama, or earth mother. She was large-boned and tall, like a giant corn stalk with permed corn silk tassels that hung to her shoulders. Her great, mannish hands could craft the most intricate bead work for earrings, or crochet wonderful raffia hats, or turn beautiful pots with cobalt blue Swedish designs. Pachamama's life was a series of backbreaking projects, any one of which would have felled a human of lesser proportions. One day it was time to turn the soil in a half acre garden. The next day might be the day to stucco the west wall on the new straw bale house she and Bob were building.

Someone from the village suggested that Pachamama and Bob be the Grand Marshals for the Fourth of July Parade. Pachamama could lead with a Viking headdress and Bob could follow, pushing a wheelbarrow. Wheelbarrows were plentiful but Vikings were a scarcity in Southern Colorado. Both Pachamama and Bob were uncommon creatures in the little town where most of their neighbors spoke Spanish and had been in the area six or seven generations. The people had stretched a little to accommodate the eyes of the Buddha which Pachamama had painted over her doorway. Now they looked on Buddha, Pachamama and Bob with routine acceptance. The neighbors found them, not only harmless, but even generous and filled with kindness.

Bob, her partner, had been with her as long as

que se podía recordar. Él hacía pensar en Dios Padre, por su larga barba blanca y ojos que te penetraban con intensidad, si es que te miraban del todo. Delgado como lápiz, tenía piernas largas, del doble de su torso, como zancos. Era paciente y bondadoso y quería a Pachamama más que nada. La miraba y se sonreía, cuando ella hacía sus proclamaciones, sobre como deberían ser las cosas. Los ojos le brillaban cuando cantaban sus dúos; él, tocando la guitarra y ella su dulcemele. Ella no lo reconocía, pero no importaba. Por él, se sabía que ellos eran para siempre.

Habían llegado a este pueblecito en la frontera con Nuevo México, de algún lugar en California, donde se llenó de gente. Vivían con parquedad, entre la cerámica, los aretes, los sombreros de rafia y el ajo en trenzas u otras cosechas, que sacaban de su huerta. Siempre se sabía cuando iban a un mercado, o feria del verano, a vender sus mercancías. Cuando iban, Pachamama usaba su ropa de mercado, una falda purpúrea arrugada, una blusa ligera, y tenis altos, con calcetines purpúreos, que formaban un complemento dudoso a la falda. Cargaban lo que estaba listo para vender en su camión de escuela, convertido en casa de ruedas. El exterior del camión, también era una pesadilla de sicodélicos colores, una proclamación audaz de individualismo. Pero, el interior estaba equipado como una maravilla de creatividad y uso práctico. Todo tenía su lugar. Estantes para especies, cacharros, mesas que se doblaban, sillas de camping y sofás cama.

Bob y Pachamama, a grandes zancadas, ponían las cajas de su mercancía en el camión y salían, dejando una nube de polvo, entre el chamizo. Solo tú detenías la respiración, pensando si el viejo camión iba a durar el viaje. Ellos estaban ciertos de que sí, y así sucedía siempre.

anyone remembered. He looked like God the Father, with a long white beard and eyes that looked intently through you if he held your gaze for any time at all. Pencil slim, he had legs twice as long as his torso, like stilts. He was patient and kind and he loved Pachamama more than anything. He would watch her and smile when she made her proclamations about the way something should be. His eyes twinkled at her when they sang duets as he played the guitar and she played the dulcimer. She didn't acknowledge him much but it didn't matter. You knew from him they were forever.

They had come to this little town on the New Mexico border from somewhere in California, where it got too crowded. They lived by their ingenuity; what with the pottery, the earrings, the raffia hats and braided garlic or other crops they harvested in their garden. You always knew when they were heading for a summer fair to peddle their wares. Pachamama would wear her market attire — a purple squaw wrinkle skirt, an airy top and her high top sneakers with purple socks, which were a dubious complement to the squaw skirt. They would load up their old converted school bus with whatever was ready to sell. The exterior of the bus was a psychedelic nightmare, faded multicolors of a once bold statement of individualism. But the inside was fitted as a marvel of creative thinking and practicality. Everything had its place. Spice racks, pots and pans, fold out tables, camp chairs, sofa beds.

Bob and Pachamama, with their long bodies, had gargantuan strides They quickly loaded boxes of their wares into the bus and were off in a dust cloud among the sagebrush. You were the only one who held your breath wondering if the old bus would make the round trip. They were certain it would and it always did.

211

Además, como Bob, prácticamente lo había ensamblado, pieza por pieza, sabía como componerlo. Si tenías la suerte de acompañarlos, te llenabas de una sensación de libertad absoluta. Como si el camino pudiera no terminar, y tú te fueras yendo hasta el infinito, con paisajes siempre cambiantes.

Un día de verano, iban a una feria y mercado en Velita, cuando decidieron hacer un desvío. Pachamama había leído en el periódico, acerca del festival del Arco Iris, que iba ser en el Bosque Nacional de Gardner, cerca de Velita. Los Festivales del Arco Iris habían sido una parte de su pasado. Ellos fueron de los primeros organizadores de esos festivales en California, en las montañas de Santa Cruz, durante los años sesenta. En esos días, de su época de activistas, habían tomado posiciones contra la Guerra de Vietnam, el presupuesto del Pentágono, y el entrometerse de Los Estados Unidos en El Tercer Mundo. Todas las protestas, ahora estaban encerradas en un cuarto de sus almas, pero los Festivales del Arco Iris, todavía significaban una oportunidad de ver a su gente. El bosque estaría lleno de ellos, campando en las colinas, contentos de sentir la tierra bajo ellos, comunicándose y discutiendo alrededor de las hogueras, acerca de los días pasados, con sentimientos fuertes de comunidad.

Cuando Bob y Pachamama entraron al bosque, vieron a dos parejas de jóvenes, con mochilas nuevas, caminando sobre la carretera. Todos tenían las caras quemadas por el sol, como si acabaran de regresar de unas vacaciones en la playa. Sus carnes se miraban firmes y su piel proclamaba salud.

Llevaban playeras de la Universidad de Stanford, con shorts de Kaki y botas caras, de alpinista. Quizá se

Besides, since Bob had practically assembled it piece by piece, he always knew how to fix it. If you were fortunate enough to ride along, you were soon overcome by a great sense of freedom. The road might never end and you would roll on to infinity with ever-changing vistas.

One summer day they were off to a fair in Velita when they decided to take a detour. Pachamama had read about that year's Rainbow Festival taking place in the Gardner National Forest, close to Velita. The Rainbow Festivals were an integral part of their past. They had been among the organizers of Rainbow Festivals in the California Santa Cruz Mountains in the '60s. Those were their activist days when they had taken positions against the Vietnam War, Defense Spending, U.S. interference in the Third World. All of the protests were locked away now in a room of their souls, but the Rainbow Festivals still meant a chance to see their kind of people. The forest would be full of them; camped on the hillsides, happy to feel the earth beneath them; communicating with a lot left unsaid; campfire discussions about the old days, with strong feelings of community.

As Bob and Pachamama pulled into the forest, they spotted a young foursome with new backpacks walking along the road. All of them had tanned faces as if they'd just returned from a beach vacation. They looked toned and healthy.

They were wearing Stanford t-shirts with khaki shorts and expensive hiking boots. Maybe,

acababan de graduar y estaban ahora viajando, en búsqueda del sentido de la vida. Quizá los papás se quedaron preguntándose, por qué pagaron $100,000 dólares para suscribir esta búsqueda. Bob se puso al lado de ellos con el camión, en el momento preciso en que las parejas parecían compartir un chiste. Todos estaban riéndose.

—¿Tienen una idea acerca de donde está el centro de reunión, para el Festival del Arco Iris?— preguntó Bob. El ruido del motor del camión era demasiado y nadie podía oír bien. Bob pronto se detuvo al lado del camino. Pachamama brincó del camión y se acercó a los jóvenes.

—Quisiéramos encontrar el centro de reunión para el Festival— dijo. Sus ojos azul intenso, atraparon con su mirada a los cuatro. Ellos vieron sus grandes manos puestas en jarras, sus bucles aún más rizados por el calor. La falda purpúrea, arrugada, le colgaba desigual, casi hasta los tobillos. Sus pies separados, como para dar énfasis a los tenis altos, con los calcetines del color de la falda.

Miraron pasmados a Pachamama, después al sicodélico y desteñido camión, después a Bob y de vuelta a Pachamama. Era como si las cuatro cabezas fueran un sólo aparato mecánico, al que se le daba cuerda, para dirigir los movimientos

—Eh, nosotros, eh, no sabemos. Nosotros, eh, acabamos de llegar— uno de ellos tartamudeó. Los otros tres continuaban mirando a Pachamama. Ella, sin embargo, no tenía tiempo para gastar con ellos, si no estaban informados. Con un tranco de sus largas piernas, brincó otra vez al camión, que comenzó a avanzar entre tirones y toses, para continuar su camino.

Los cuatro se quedaron mirando atónitos e incrédulos.

they had just graduated and were off to find the meaning of life. Perhaps their parents were left asking themselves why it had cost $100,000 to underwrite this search for meaning. Bob pulled up alongside them in the bus just as the couples were sharing a funny story. All of them were laughing.

"Any idea where the central meeting place is for the Rainbow Festival?" Bob asked. The noise of the bus engine was too much and no one really could hear. Bob quickly pulled to a stop at the side of the road. Pachamama jumped off the bus and approached the young people.

"We'd like to find the central gathering place for the festival," she said. Her intense blue eyes trapped the foursome in her gaze. Her large hands were on her hips; her corn silk hair curled even more with the heat. The purple squaw skirt hung uneven almost to her ankles. Her feet were apart as if to underscore the high top sneakers and purple socks.

They stared aghast at Pachamama, then the faded psychedelic bus, then Bob and back to Pachamama. It was as if their four heads were on one mechanical windup, which directed the motion.

"Uh, we, uh don't know. We, uh, uh just got here," one of them stammered. The other three continued to stare at Pachamama. She, however, had no time to waste on the uninformed. She took one leap with her long legs and hopped back on the bus which jerked, chortled, coughed and continued on its way.

The four of them stood there silent and incredulous.

Lentamente comenzaron a caminar, tras la nube de polvo que dejó el camión. Una de las jóvenes por fin se paró, y se volteó hacia los otros. —Dios mío— dijo —¿Pueden ustedes creerlo? ¡Ellos van al Festival! ¡"Eso" va al Festival!— y continuó

—¿Ustedes qué creen? ¿Debemos seguir?—.

Slowly they began walking in the dust of the bus's wake. One of the young women finally stopped, and turned to the others: "Gawd, can you believe it? They're going to the festival! That's going to the festival!"

"What do you all think? Should we keep on goin'?"

LA PAZ ESTE CON USTED

El aplauso fue de estruendo. Cuando se abrieron las gruesas cortinas, de terciopelo carmesí, el equipo del ballet Cubano salió para agradecer los aplausos otra vez. Carlos se inclinó mucho, haciendo con su espalda una curva bien definida, mientras abría amplios los brazos. Era la última vez que agradecería aplausos. ¡El aplauso de un buen publico! ¿Podría aprender a vivir sin el estímulo de bailar ante el público? Se había decidido a dejar al grupo y jamás volver a Cuba. Parecía una decisión precipitada, pero Carlos sabía que ese pensamiento le estaba molestando, desde años atrás. Odiaba la conformidad. Su hermano se quedaría con su departamento en La Habana. De alguna manera le mandaría a su mamá sus medicinas. Haría cualquier cosa para mantener su cuerpo y alma, pero jamás, volvería a vivir bajo el régimen.

Carlos no se lo dijo a nadie. Sencillamente, no estuvo a la salida del camión alquilado, que llevó al grupo desde México hasta Mérida, su última parada, antes de que todos volaran de vuelta a Cuba. Esperó una cuantas horas en un bar de la Zona Rosa, para asegurarse de que se habían ido. Después entró en un cine, donde se sentó callado, en la oscuridad. La película, "El Piano" ya había comenzado. La protagonista era una muda. Tocar el piano le servía como catarsis para todas sus emociones. Ella miraba directamente a la cámara, tocando con las facciones marcadas de una madona gótica, vestida en tonos de café y negro. Carlos estaba fascinado y se perdió en la trama. Casi, se olvidó de que ahora no tenía hogar y que estaba sin país. La película terminó y él se decidió a quedarse para ver el comienzo. En tanto se hundía en el

PEACE BE WITH YOU

The applause was thunderous. The Cuban ballet troupe took another bow with the opening of the thick, red velvet curtains. Carlos bowed low, making his back into a sharp curve as he gestured widely with his arms. This was his last bow. The applause of a good audience! Could he live without the excitement of performance? He had made up his mind quickly to leave the troupe and never return to Cuba. It seemed sudden but Carlos knew it had been festering inside him for years. He hated the conformity. His brother would take over his apartment in Havana. Somehow he would send his mother her medicines. He would do whatever it took to keep his body and soul together, but he would never again live under the regime.

Carlos didn't tell anyone. He simply didn't show up when the chartered bus left to take the troupe from Mexico City to Merida, their last stop before they all flew back to Havana. He waited a few hours in a bar in the Zona Rosa to make sure they were gone. Then he went to a movie where he sat quietly in the dark. The film, "The Piano" had already started. The woman protagonist was a mute but her piano playing was a catharsis for all her emotions. She looked straight at the camera, playing with the chiseled features of an early gothic Madonna in browns and blacks. Carlos was fascinated and he lost himself in the plot. He almost forgot that he was now homeless and without a country. The movie ended and he decided to stay and see the beginning. Just as he was slipping comfortably down into the

confort del asiento, se le acercó un viejito con charreteras muy desgastadas, en lo que había sido un uniforme elegante.

—Aquí no hay permanencia voluntaria—. Con esto le indicó a Carlos que tenía que pagar otro boleto para quedarse a la siguiente función. Carlos se levantó lentamente de su asiento y salió del cine.

—Sí que tiene toda la razón—, se dijo a si mismo. —Esa es una proclamación profundamente metafísica—.

Dio la vuelta hacia su hotel. No, ahí no iba a ir. Sería el primer lugar donde lo buscaran. Estaba contento de haber preparado una maleta antes, y haberla dejado en el registro de equipaje en la Tapo, la estación de camiones. Significó andar a la carrera por la ciudad, en el Metro y que le gritaran por haber llegado tarde, al ensayo del grupo. Pero ahora, por lo menos, tenía unos cuantos cambios de ropa.

Carlos fue en taxi a la estación de camiones, el mundo grande y redondo de la Tapo con sus camiones sin fin, saliendo para algún destino del interior. Se acercó al mostrador a ver los horarios. Oaxaca. Salía un camión para Oaxaca en media hora. Seis horas y media por autopista. Podría hacerlo. Oaxaca le parecía un lugar tan bueno como cualquiera, para un hombre sin hogar y sin país. No se le ocurriría a nadie buscarlo ahí.

Cuando recogió su maleta, le pareció dolorosamente ligera, considerando que contenía todas las posesiones que, ahora, podía reclamar. Se compró una torta de jamón, una botella de agua y se subió al camión. Le tocó el primer asiento bajo una pantalla de video. En el camión sólo habían unos cuantos pasajeros, cuando salió por las calles oscuras de México. Nadie se sentó a su lado.

seat, an old man with frayed epaulets on a once elegant uniform, approached him.

"Aqui no hay permanencia voluntaria. Here there is no voluntary permanence." He was telling Carlos he had to pay again to stay for another showing. Carlos got up slowly from his seat and meandered out.

"He's got that right," he said to himself. "That is a profound metaphysical statement."

He turned the corner toward his hotel. No, he couldn't go there. It would be the first place they would look. He was glad he had packed his bag earlier and left it at the baggage storage of the Tapo bus station. It had meant scurrying around the city on the Metro and being yelled at for his tardiness at the afternoon rehearsal. But now, at least he had a few changes of clothes.

Carlos hailed a cab to the bus station, the great round world of the Tapo with its endless number of buses leaving every few minutes for some place in Mexico. He approached a counter and looked up at the schedule. Oaxaca. A bus was leaving in half an hour for Oaxaca. Six and one half hours by autopista, thruway. He could do that. Oaxaca seemed as good a place as any, for a homeless man without a country. No one would think to look for him there.

When he picked up his suitcase, it seemed painfully light considering it held all the possessions he could now claim. He bought a ham sandwich, a bottle of water and boarded the bus. He chose the first seat under a video screen. The bus had only a few passengers as it made its way through the dark streets of Mexico City. He had a seat all to himself.

—Está bien— pensó, —pero sería mejor tener alguien con quién hablar—. Preferible alguien que fuera hasta Oaxaca; entonces podría hacer preguntas sobre ese lugar extraño que no conocía en absoluto. Pronto la pantalla de video estaba parpadeando sus colores enfrente de él. Era una película sobre alpinismo, un grupo que trataba de ascender al Everest. Fue fácil perderse en la historia, al mirar a los alpinistas moverse dolorosamente a través de grietas, luchando contra tormentas que cegaban, y subiendo la montaña centímetro a centímetro. Él nunca había subido montañas, y nunca había visto nieve, pero sí conocía lo que era querer algo, más que la vida misma. Él había logrado su sueño. Había llegado a la cumbre de su mundo, el de la danza, después de años de ensayo agotador y de clases. A la edad de doce años, había sido escogido para estudiar en la Escuela Nacional de Ballet en Cuba. Aún en los años más difíciles, había dinero de Castro para los profesores y para el entrenamiento. Hoy, de golpe, había dejado todo. En cuanto estos pensamientos trataban de apretarlo, se acomodaba más en el asiento y se perdía más en la película. Cuando terminó, durmió muy mal.

En un momento dado, miró fuera y vió las montañas escarpadas y la ausencia de tráfico vehicular. La desolación lo estaba envolviendo. El único sonido era el whrr del motor. Si el camión se cayera montaña abajo, nadie lo reclamaría. Pero los precipicios eran tan profundos, que, quizás, no reclamaran a nadie. La tumba de todos sería el solitario, inaccesible fondo del valle, allá abajo. Se sintió triste y solo. Pero lo distrajeron las luces en la distancia, cuando el camión dio una última vuelta, antes de comenzar su descenso hacia el valle de luces. Pronto, apareció ante él la ciudad y las luces de las calles se le presentaron acogedoras. En la estación de camiones,

"It's all right," he thought, "but it would have been better to have someone to talk to." Preferably someone from Oaxaca; then he could ask questions about this foreign place he knew nothing about. Soon the video screen was blinking colors in front of him. It was a film about mountain climbing, a group trying the ascent of Everest. It was easy to lose himself in the story as he watched the climbers moving painfully across crevices, fighting blinding storms, and inching their way up the mountain. He had never climbed mountains, and he had never seen snow but wanting something more than life itself, he knew about. He had accomplished his dream. He had made it to the top in his dance world after years of grueling practice and lessons. At the age of twelve, he was selected to study at the National Ballet School in Cuba. Even in the slimmest years, there had been money from Castro for teachers and training. Today, with one decision, he had let it all go. As these thoughts tried to grip him, he burrowed into the seat and lost himself more in the movie. The movie ended and he slept fitfully.

At one point, he looked out and saw steep mountains and no other traffic. Desolation was wrapping itself around him. The only sound was the whir of the engine. If the bus went over the cliff, no one would claim him. Yet the precipices looked so steep, perhaps, no one would be claimed anyway. The mass grave would be a lonely, inaccessible valley floor, far below him. He felt sad and alone. But the distraction was lights in the distance and the bus made one last turn before it started its descent into a valley of lights. Soon the city was before him and the lights in the streets patterned themselves into welcome diversions. At the bus station

recogió su maleta y salió por la puerta delantera, hacia los vendedores de todo, desde elotes a tacos, donas, hamburguesas, ropa, chamarras de cuero. Los pasó a todos, yendo por toda la acera hasta un hotel, casi al lado de la terminal.

A la mañana siguiente, lo despertó el sol, de un estado de plomo. Se levantó sintiéndose pesado y tieso. Le ayudó una ducha caliente. Salió a la calle con un mapa de Oaxaca que tomó en la recepción del hotel. Un grupo de laureles, a varias cuadras de distancia, señalaban el Zócalo. Mientras caminaba, la actividad humana giraba a su alrededor. La gente sonreía si les miraba a los ojos. Algunos hasta lo saludaban con un "Adiós" o un "Buenos Días". Todos ocupados en algo, un poco como duendes del bosque. Muchos llevaban cargas pesadas y lo miraban sonriendo. Es el calor del sol, pensó, al sentir que se desvanecía su sentimiento de desolación, como un círculo de humo.

Pasó frente a una iglesia abierta y pudo oír el murmullo de las oraciones. Sus pies parecieron obligarle a entrar a la iglesia, en donde la gente se saludaba.

—La paz esté contigo— dijeron, tomándose las manos unos a los otros. Carlos participó de este rito, casi sin pensarlo. Sorprendido del calor que sentía en las manos, comenzó a usar las dos manos, para tocar a la gente alrededor de él. Miró a una mujercita con largas trenzas negras. Su delantal impecable, recién almidonado, servía como una pieza frontal decorativa. Sus dos manos tomaron la suya y se encontraron sus ojos. Ella le dirigió una sonrisa tímida. El niño detrás de él, con enormes ojos negros, llenos de picardía, respondió extendiéndole sus dos manos y se tocaron con verdadera alegría.

—La paz esté contigo. La paz esté contigo—

he picked up his bag and went out the front door to the vendors of everything from elotes (corn on the cob) to tacos, doughnuts, hamburgers, clothing, leather and taxis. He walked past all of them down the sidewalk to a hotel almost next to the bus station.

Next morning, the sun woke him early from his leaden state. He got up feeling heavy and stiff. A hot shower helped. He stepped out to the street with a map of Oaxaca from the hotel desk. A clump of huge laurel trees, a few blocks away signaled the main square. As he walked, the human activity whirled around him. The people smiled if he met their eyes. Some even greeted him with "Adios" or "Buenos Dias." He seemed to be in a land of very busy, people, like the duendes of the forest. Many carried heavy loads and still looked up at him with smiles. "It's the warm sun," he thought, as his sense of desolation began to lift above him like a smoke ring.

He passed an open church and could hear the murmur of prayers. His feet seemed to turn him into the church just as the people were greeting each other.

"Peace be with you," they said, taking each other's hands. Carlos joined in almost without thinking. Surprised how warm the hands felt that reached out to him, he began to use both his hands to touch the people around him. He looked at the little lady with long black braids. Her immaculate apron, newly starched, was like a frontal piece of decoration. Both his hands took her hand and their eyes met. She gave him a shy smile. The little boy behind him, with huge, mischievous brown eyes responded with both his hands and they touched with real glee.

"Peace be with you. Peace be with you,"

Carlos repetía y cuanto más lo decía, su cuerpo entero se sentía vivo, lleno de esperanza y, de alguna manera, querido.

Una vez que encontró un pequeño departamento, comenzó a hacer visitas a las iglesias cercanas. Hacía años que no había estado en una iglesia, pero en Oaxaca se aprendió el horario del saludo de paz los domingos y así iba de una iglesia a otra. Primero, a la iglesia de San Agustín, luego Nuestra Señora de la Merced, Los Siete Príncipes, San Felipe Neri y para terminar, la Catedral. Comenzaba como a las diez de la mañana y, por casi cuatro horas, iba de iglesia en iglesia, justo a tiempo para el saludo de la paz. Daba la mano usando las dos manos. Miraba a la gente directamente a los ojos. —La paz esté contigo—. A veces, la gente parecía asustarse de su intensidad. Pero, era su única fuente de contacto humano. Necesitaba este toque para sostenerlo durante la semana, cuando pasaba horas en su minúsculo departamento, sólo y desolado, a veces, mirando al mundo abajo desde el segundo piso, desde ese lugar gris y mal amueblado. El inquilino previo, un vendedor de perfumes y lociones, se había escapado de repente, perseguido por el esposo celoso de su mejor cliente. Su legado fue un teléfono y una máquina para dejar mensajes. Eran superfluos, porque nadie lo llamaba.

Un domingo pasaba por el Zócalo. Parecía que todos tenían alguien con quien sentarse a las mesas de Los Portales. Él, no tenía a nadie. Aunque su rito de —la paz esté contigo— en las cinco iglesias había sido abundante, y mucha gente le había dicho —la paz este contigo— con ojos sonrientes, ahora resultaba, que no tenía a nadie. Al caminar, frente a tanta gente que tenía alguien con quien hablar, de repente, sintió las manos frías y se las metió en

Carlos repeated as his whole body felt alive and hopeful and somehow loved.

Once he had found a tiny apartment, he began to make the rounds of the churches near him. He hadn't entered a church in years, but in Oaxaca, he learned the schedule of the peace greeting on Sundays and he went from one church to another. First, the church of San Augustin, then Our Lady of the Merced, then the Seven Princes, next, St. Philip Neri and, lastly, the Cathedral. It became his Sunday ritual. He would start about ten in the morning and, for nearly four hours he would go from church to church just in time for the peace greeting. He would shake hands, using both hands. He looked directly into people's eyes. "Peace be with you." Sometimes people seemed almost startled by his intensity. But it was his only source of human contact. He needed the touch to sustain him through the week, when he would spend hours in his tiny place, alone and desolate, sometimes watching the world below him from the second story window of his drab, sparsely furnished apartment. The previous tenant, a perfume and lotions salesman, was last seen fleeing suddenly, pursued by the jealous husband of his best client. He had unwittingly bequeathed Carlos a telephone and answering machine. They were superfluous since no one called him.

One Sunday he was walking past the main square. Everyone seemed to have someone to sit with at the sidewalk tables. He had no one. Even though the "peace be with you" rounds at his five churches had been plentiful and lots of people had said "peace be with you" with smiling eyes, he now realized he had no one. His hands felt suddenly cold and he put them in

227

los bolsillos. Pero no quería que descendiera, sobre él, la nube gris. Continuó caminando, y de repente, se inspiró, cuando pasó el puesto de periódicos donde vendían las tarjetas telefónicas. Compró una y usando el teléfono de la esquina, marcó su propio número.

— ¿Bueno, bueno, Carlos?— dijo.

—Es Carlos. Carlos. Estoy caminando a casa. Llegaré pronto y te veré ahí— Metió la tarjeta de teléfono en el bolsillo y dio la vuelta, sonriente, para volver a su pequeño departamento en busca del mensaje.

his pockets as he walked past all the people who had someone to talk to. But he didn't want the gray funk cloud slowly descending on him. He kept on walking until, suddenly, he was inspired as he walked past the news stand where they sold telephone cards. He bought one, used the telephone at the corner, dialing his own number.

"Hello, hello, Carlos?" he called into his machine.

"This is Carlos. Carlos. I'm walking home now. I'll, I'll be home shortly and I'll see you there." He put the phone card in his pocket, turned on his heels, smiling to himself, as he headed back to his tiny apartment to look for his message.

Creditos/ Credits

Fotos de portada y contraportada : Patrick Kelly
Front and back cover photos: Patrick Kelly
Foto de mujeres en la portada, de izquierda a derecha: Teresa Juárez
Matias, Maria Valverde Juárez, Margarita Matias Cosme.
Women in the cover photo, from left to right: Teresa Juárez Matias,
Maria Valverde Juárez, Margarita Matias Cosme.

Diseño de portada: Mayra Castro Villalobos.
Cover design: Mayra Castro Villalobos.
Formación: Oscar E. Guzmán M.
Format: Oscar E. Guzmán M.

Narración/ Narration
En español: Leticia Ricárdez
In spanish: Leticia Ricárdez
En inglés: la autora
In english: the author

Sonido: Crea Sound, Juan Carlos García y Líder Video
Sound:Crea Sound, Juan Carlos Garcia and Lider Video